CW00434600

HIGHER TIER ANSWERS

Page 1   M1.1

1. (a) 2   (b) 5   (c) 3   (d) 13   (e) $\frac{1}{2}$ (f) 1

2. £26

3. £5

4. (a) 0·24   (b) 0·035   (c) 4·97   (d) 1·2
   (e) 0·09   (f) 2·7   (g) 190   (h) 27
   (i) 0·972   (j) 0·000 008   (k) 200   (l) 72

5. 12

6. 44

7. $3\sqrt{36}$

8. £1424·88

Page 1   M1.2

1. (a) $\frac{5}{9}$ (b) $\frac{1}{8}$ (c) 15   (d) $\frac{2}{3}$
   (e) $1\frac{1}{3}$ (f) $1\frac{3}{4}$ (g) 6   (h) $4\frac{3}{8}$

2. $\frac{4}{7}$

3. (a) $\frac{11}{12}$ (b) $\frac{11}{24}$ (c) $5\frac{1}{6}$ (d) $4\frac{11}{24}$

4. 20 mins

5. $\frac{11}{16}$

6. $\frac{3}{40}$ mile

7. (a) $\frac{5}{7}$ (b) $1\frac{1}{6}$ (c) $2\frac{2}{3}$

9. 96 cm^2

10. 90 m^2

Page 2   M1.3

1. (a) 4   (b) 2   (c) $\frac{1}{5}$ (d) 3·75

2. A→R, B→U, C→S, D→P, E→Q, F→T

3. $112·90

4. A

5. $1^9, 3^4, 5^3, 2^7, 4^4$

6. (a) 4·14   (b) 3·49   (c) 4·91
   (d) 4·64   (e) −0·894   (f) 0·0206

7. (a) $3\frac{1}{9}$ cm^2

8. $2\frac{3}{10}$

9. ≈ 100 kg

Page 4   M1.4

1. (a) $\frac{7}{10}$ (b) $\frac{7}{20}$ (c) $\frac{7}{200}$ (d) $\frac{23}{25}$
   (e) $\frac{309}{500}$ (f) $\frac{637}{2000}$ (g) $\frac{713}{1000}$ (h) $\frac{5}{8}$

2. $\frac{3}{25}, \frac{3}{20}, \frac{45}{200}, \frac{1}{4}, \frac{3}{10}, \frac{5}{16}$

3. (a) $0·\dot{2}$ (b) $0·41\dot{6}$ (c) $0·8\dot{3}$
   (d) $0·\dot{3}84\,61\dot{5}$ (e) $0·\dot{8}57\,14\dot{2}$

4. $0·1\dot{3}\dot{7}$

Page 4   E1.1

1. (a) $\frac{74}{99}$

2. (a) $\frac{7}{9}$ (b) $\frac{28}{99}$ (c) $\frac{64}{99}$ (d) $\frac{382}{999}$ (e) $\frac{26}{45}$ (f) $\frac{938}{165}$

3. (a) $\frac{715}{999}$

Page 4   E1.2

1. (a) $3\sqrt{2}$ (b) $4\sqrt{2}$ (c) $6\sqrt{2}$ (d) $2\sqrt{5}$
   (e) $5\sqrt{5}$ (f) $2\sqrt{7}$ (g) $10\sqrt{3}$ (h) $3\sqrt{6}$

2. a only

3. (a) $\sqrt{35}$ (b) $\sqrt{30}$ (c) 7   (d) 2
   (e) $\sqrt{2}$ (f) $\sqrt{6}$ (g) $18\sqrt{6}$ (h) $8\sqrt{10}$
   (i) 28

4. (a) $2\sqrt{3}$ (b) $6\sqrt{5}$ (c) $2\sqrt{2}$ (d) $6\sqrt{2}$
   (e) $5\sqrt{6}$ (f) $7\sqrt{2}$ (g) $\sqrt{5}$ (h) 20
   (i) $120\sqrt{2}$ (j) $\sqrt{7}$ (k) $\sqrt{3}$ (l) $24\sqrt{3}$

5. (a) 7   (b) 28   (c) 5

6. (a) n (b) mnp (c) $\frac{mp\sqrt{n}}{q}$

Page 5   E1.3

3. (a) $10 + 5\sqrt{3} + 2\sqrt{2} + \sqrt{6}$
   (b) $\sqrt{15} + \sqrt{6} + \sqrt{35} + \sqrt{14}$
   (c) $4 + 2\sqrt{6} - \sqrt{10} - \sqrt{15}$
   (d) 5   (e) $19 + 8\sqrt{3}$ (f) $12 - 2\sqrt{35}$

4. (a) $(7 - 3\sqrt{3})$cm^2 (b) 14 cm

5. $(13 + 7\sqrt{5})$ cm^2

8. e.g. $\sqrt{8}$ and $\sqrt{2}$

Page 6   E1.4

1. (a) $\frac{\sqrt{6}}{6}$ (b) $\frac{2\sqrt{3}}{3}$ (c) $\frac{\sqrt{21}}{7}$
   (d) $\frac{4\sqrt{15}}{3}$ (e) $\frac{\sqrt{15} - \sqrt{6}}{3}$ (f) $\frac{\sqrt{15} + \sqrt{5}}{5}$

2 Answers

2. (a) 1 (b) $10 - 5\sqrt{3}$

3. (a) $4\sqrt{3}$ (b) $5\sqrt{3}$

(c) $3\sqrt{7}$ (d) $3\sqrt{6} - 9$

(e) $\sqrt{2}$ (f) $10 - 4\sqrt{6}$

(g) $5\sqrt{3}$ (h) $\sqrt{15} + \sqrt{10} - \sqrt{6} - 3$

(i) 3 (j) $170 + 78\sqrt{3}$

(k) $4\sqrt{3} + 4\sqrt{15}$ (l) 3

4. (a) $\sqrt{11}$ (b) $\sqrt{17}$ (c) 1

6. (a) $(5 + 5\sqrt{5})$ cm

8. incorrect $\left(= \dfrac{20}{3} \right)$

Page 7   M2.1

1. 46 p

2. £105·60

3. (a) 1·15 (b) 0·93 (c) 0·58

(f) 1·085 (g) 0·76 (h) 1·175

4. (a) £151·20 (b) £1044 (c) £264 (d) £40·80

5. £27·75

6. 44%

7. £652·80

8. £163·75

9. 9 % reduction

Page 8   M2.2

1. 15 % **2.** 40 % **3.** 30 %

4. (a) 43 % increase (b) 16 % decrease

(c) 95 % increase

5. 20 % **6.** 25·7 % **7.** Joe by 1·6 %

8. 52·1% **9.** 3·2 % increase **10.** 9·1 %

Page 9   M2.3

1. £8820

2. (a) £405 (b) £303·75

3. B

4. (a) 1·08 (b) £822·82

5. Supa Save by £92 ·93

6. During year 5

7. 10 years

8. 79 years old

Page 10   M2.4

1. 1·8 m **2.** £120

3. £420 **4.** £340

5. 160 **6.** Hobbs by £1·40

7. £1272·50 **8.** No % charge

9. 20% does not refer to £1200 **10.** £102

11. 216 cm³

Page 11   M2.5

1. (a) 8 : 7 (b) 4 : 3 : 7 (c) 1 : 8 (d) 1 : 12 (e) 12 : 5

2. p 210°, q 60°, r 90°

3. 15

4. (a) 28 l (b) 10 l (c) 56 l yellow, 16 l blue

5. £45 000

6. (a) 550 g cheese, 10 tomatoes, 20 pineapple chunks, $1\frac{1}{4}$ cucumbers

7. 50 biscuits **8.** 3 : 8

9. 12·8 m² **10.** 2·5 litres

11. 45 cm

Page 12   M2.6

1. (a) 3^5 (b) 2^9 (c) 5^7

(d) 5^4 (e) 4^6 (f) 1

(g) 3^3 (h) 6^6 (i) 7^5

2. (a) 3^5 (b) 6^4 (c) 5^5

(d) 8 (e) 4^8 (f) 7^4

3. (a) x^7 (b) x^8 (c) a^4

(d) 1 (e) x^4 (f) x^4

4. (a) F (b) F (c) F

(d) T (e) T (f) F

5. (a) 1 (b) m^2 (c) n^2

(d) x^4 (e) m (f) x^3

6. $8a^2 \times a^3 \times 3a$

7. (a) T (b) F (c) T

(d) T (e) F (f) F

8. (a) $6a^7$ (b) $16b^4$ (c) $8x^6$

(d) $9m^2$ (e) $-36y^5$ (f) $16n^6$

Page 13   M2.7

1. (a) $\dfrac{1}{4}$ (b) $\dfrac{1}{8}$ (c) $\dfrac{1}{36}$ (d) $\dfrac{1}{64}$

(e) $\dfrac{1}{100}$ (f) $\dfrac{1}{125}$ (g) $\dfrac{1}{7}$ (h) $\dfrac{1}{64}$

2. (a) 4^{-2} (b) 3^{-4} (c) 2^{-5} (d) 8^{-3}

3. (a) 5^{-2}

4. 3^{-3}

5. (a) T   (b) T   (c) F

(d) F   (e) T   (f) T

6. $\dfrac{9}{20}$

7. $\dfrac{6}{n}$

8. (a) x^6 (b) $25x^{-6}$ (c) $2m^{-1}$

9. (a) 3   (b) $\dfrac{7}{3}$ (c) $\dfrac{25}{9}$ (d) $\dfrac{49}{4}$

10. No, e.g. reciprocal of 0·5 is 2

Page 14   E2.1

1. (a) 5   (b) 4   (c) 1   (d) $\dfrac{1}{2}$

(e) $\dfrac{1}{2}$ (f) 2   (g) $\dfrac{1}{10}$ (h) 6

2. (a) $16^{\frac{1}{2}}$ (b) 16^0 (c) $16^{-\frac{1}{4}}$ (d) 16^{-1}

3. (a) x^3 (b) x^3 (c) x^2

(d) $5x^2$ (e) $2n^2$ (f) $3m^4$

(g) $\dfrac{1}{3a^3}$ (h) $\dfrac{1}{4m^3}$ (i) $7ab^3$

4. (a) $\dfrac{1}{11}$ (b) $\dfrac{4}{5}$ (c) $\dfrac{8}{9}$ (d) $\dfrac{2}{3}$

(e) $\dfrac{2}{5}$ (f) $\dfrac{4}{3}$ (g) 6   (h) $\dfrac{10}{3}$

5. $(81a^4b^{12})^{\frac{1}{4}}$

Page 14   E2.2

1. (a) 64   (b) $\dfrac{1}{4}$ (c) $\dfrac{343}{125}$

2. (a) 216   (b) 125   (c) $\dfrac{1}{8}$ (d) 25

(e) $\dfrac{1}{100}$ (f) 27   (g) $\dfrac{1}{8}$ (h) $\dfrac{1}{16}$

3. (a) $8x^6$ (b) $9m^6$ (c) x^2 (d) $\dfrac{4y^4}{x^2}$

(e) $8a^6b^3$ (f) $16m^8n^6$

4. (a) $\dfrac{9}{4}$ (b) $\dfrac{8}{27}$ (c) $\dfrac{8}{125}$ (d) $\dfrac{16}{25}$

5. (a) T   (b) F   (c) T

6. 29

Page 16   E2.3

1. (a) 4   (b) 0   (c) -2 (d) -2 (e) -7

(f) -4 (g) -1 (h) -3 (i) -3

2. (a) $\dfrac{1}{4}$ (b) -9

3. (a) $\dfrac{1}{2}$ (b) $\dfrac{2}{3}$ (c) $\dfrac{5}{4}$ (d) -2 (e) $-\dfrac{1}{2}$

(f) $-\dfrac{2}{3}$ (g) $-\dfrac{4}{3}$ (h) $2\dfrac{1}{2}$ (i) $\dfrac{3}{2}$

4. $-\dfrac{5}{2}$

5. $\dfrac{1}{2}$

6. (a) $-\dfrac{1}{3}$ (b) $\dfrac{4}{5}$ (c) $-\dfrac{4}{7}$ (d) $\dfrac{3}{2}$ (e) $-\dfrac{1}{2}$

7. 4

Page 17   E2.4

1. 110, 134, 139, 180

2. (a) 169, 196   (b) 36, 49   (c) 196, 225   (d) 64, 81

3. (a) $\approx 13{\cdot}5$ (b) $\approx 6{\cdot}3$ (c) $\approx 14{\cdot}1$ (d) $\approx 8{\cdot}7$

4 (a) $\approx 5{\cdot}8$ (b) $\approx 3{\cdot}7$ (c) $\approx 7{\cdot}0$ (d) $\approx 5{\cdot}6$

5. 600

6. 14 000

7. (a) $\approx 3{\cdot}8$ (b) ≈ 10 (c) ≈ 5

8. 24

9. 45

10. 648

Page 18   E2.5

1. (a) T   (b) F   (c) F   (d) F   (e) T   (f) T

2. (a) $\dfrac{1}{9}$ (b) $\dfrac{1}{4}$ (c) 1   (d) $\dfrac{7}{2}$

(e) 64   (f) $\dfrac{2}{3}$ (g) $\dfrac{9}{25}$ (h) $\dfrac{11}{7}$

3. (a) $125a^6$ (b) $3m^3n^2$ (c) $4x^5$

4. 6

5. 1

6. (a) $8ab^7$ (b) $15m^3n^4$ (c) $25a^{\frac{1}{2}}$

7. 2^9

8. (a) $\dfrac{1}{3}$ (b) $\dfrac{2}{3}$ (c) $-\dfrac{1}{2}$ (d) $-\dfrac{2}{3}$ (e) $-\dfrac{1}{4}$ (f) -2

9. 10

10. $\approx 13\,\text{cm}$

Page 19   M3.1

1. $a = 53°, b = 45°$

2. $c = 34°, d = 56°$

3. $e = 34°$

4. $f = 69°, g = 69°, h = 111°$

5. $i = 52°, j = 52°, k = 52°$

6. $l = 72°$, $m = 54°$, $n = 54°$

7. $o = 33°$, $p = 147°$

8. $q = 51°$

9. (a) 60°   (c) 26°

10. (a) 66°

Page 20   M3.2

1. $a = 107°$

2. $b = 39°$

3. $c = 47°$, $d = 47°$

4. $e = 110°$, $f = 70°$, $g = 110°$

5. $h = 124°$, $i = 124°$, $j = 56°$, $k = 143°$

6. $l = 86°$, $m = 94°$, $n = 54°$, $o = 54°$

7. $p = 115°$, $q = 115°$, $r = 65°$, $s = 115°$

8. $t = 86°$, $u = 64°$, $v = 30°$

9. (a) 62°

10. (a) 63°

11. $x = 30°$, $y = 80°$

12. $y = 90 - x$

Page 21   M3.3

1. 3 triangles, 540°   **2.** 1080°

3. 2340°   **4.** 4 triangles, 720°, 637°, $x = 83°$

5. a 20°   **6.** b 53°

7. c 115°   **8.** 135°

9. $y = 530 - 6x$

Page 22   M3.4

1. 45°

2. (a) 36°   (b) 144°

3. 140°

4. (a) 20°   (b) 15°   (c) 8°

5. (a) 160°   (b) 165°   (c) 172°

6. 15

7. 20

8. factor of 360

9. 18

10. (a) $x = y = 60$ (b) $x = y = \dfrac{360°}{n}$

11. 8° in error

12. 75°

Page 23   M3.5

4. $180° - 4x$

8. $90° + x$

Page 24   E3.1

1. $a = 39°$ **2.** $b = 31°$

3. $c = 17°$ **4.** $d = 64°$

5. $e = 52°$ **6.** $f = 75°$, $g = 40°$, $h = 65°$

7. 115°   **8.** $j = 32°$, $k = 138°$

9. (a) 20°   (b) 16°   (c) 16°   (d) 54°   (e) 70°

10. 45°   **11.** 15°   **12.** 25°

13. 7 cm   **14.** 27·9 cm

Page 26   E3.2

1. $a = 102°$ **2.** $b = 64°$, $c = 116°$

3. $d = 71°$, $e = 132°$ **4.** $f = 53°$, $g = 78°$

5. $h = 124°$, $i = 124°$ **6.** $j = 63°$, $k = 117°$

7. $l = 34°$ **8.** $m = 66°$

9. (a) 70°   (b) 140°   (c) 20°

10. (a) 72°   (b) 36°   (c) 84°   (d) 168°   (e) 132°

11. 17°   **12.** 30°

Page 27   E3.3

1. $a = 50°$, $b = 80°$ **2.** $c = 145°$ **3.** $d = 118°$, $e = 59°$

4. $f = 67°$, $g = 46°$, $h = 23°$

5. (a) 122°   (b) 119°   (c) 58°

6. (a) 34°   (b) 56°

7. 8°

8. (a) 6·9 cm   (b) 39·3°

Page 29   E3.4

1. $a = 46°$ **2.** $b = 34°$

3. $c = 82°$, $d = 164°$ **4.** $e = 48°$, $f = 48°$

5. $g = 36°$ **6.** $h = 125°$

7. $i = 74°$ **8.** $j = 58°$

9. (a) 24°   (b) 24°   (c) 48°

10. (a) 16°   (b) 16°   (c) 66°

11. 21°

12. $x = 10°$, $y = 12°$

13. $180° - 2x$

Page 31   E3.5

3. (a) $180° - x - y$ (b) $x + y$ (c) $180° - x - y$

(d) $2x + 2y$ (e) $90° - x - y$

5. $y = 160° - 3x$

Page 32   M4.1

1. -2	2. -3	3. -5	4. 3
5. 11	6. 17	7. 11	8. 16
9. 41	10. 20	11. 0	12. -4
13. -14	14. 12	15. 42	16. 16
17. 11	18. 12	19. -7	20. 32
21. 32	22. 3	23. 25	24. 244
25. -100	26. 38	27. -2	28. 12
29. 85	30. -3	31. 3	32. 16
33. 11	34. 19	35. 88	36. 4
37. -9	38. 3	39. -48	40. 5

Page 33   M4.2

1. (a) 46   (b) 150

2. (a) 108   (b) 300   (c) 768

3. $1·35 \times 10^{18}$

4. (a) 497   (b) -136

5. (a) 114   (b) 20·2

6. 16·1

7. (a) 100   (b) 50   (c) 6·25

8. (a) $5·44 \left(= \dfrac{136}{25} \right)$

Page 34   M4.3

1. F	2. T	3. F
4. T	5. T	6. F
7. $-24ab$	8. $6mp$	9. $-3x$
10. $-21pq$	11. $-3a^2$	12. $21a^2$
13. $6y + 10$	14. $12a - 6b$	15. $14x + 35$
16. $x^2 - xy$	17. $m^2 - 3mp$	18. $2cd + c$
19. $10a + 5b$	20. $4ab - a$	21. $m^2 + 8mp$
22. has not multiplied the 3 by 6		23. $15 - 5x$
24. $8 - 6m$	25. $mp - 2m$	26. $-xy - yz$
27. $-x^2 - 3xy$	28. $b - a$	29. $8rq - q^2$
30. $9a^2 + 12ab$	31. $24xy - 32x^2$	32. $-y^3 - 3xy$
33. $12n^3 - 28n^2$	34. $20x^2y + 10xy^3$	35. $12a^2b - 18ab^2$
36. $24p^2q^2 - 8p^3q$	37. $21m^2n^3 + 28m^3n^4$	

Page 35   M4.4

1. $3a + 19$	2. $22b + 36$	3. $25a + 42$
4. $28y + 8$	5. $17n + 27$	6. $31b + 30$
7. $34c + 25$	8. $130x + 70$	9. $10a + 4$
10. $13x + 51$	11. $2a + 14$	12. $7m + 3$
13. $12y + 18$	14. 42	15. $2a + 21$
16. $3x + 1$	17. $26n + 43$	18. $32q + 31$
19. $11x^2 - x$	20. $7n^3 - 30n$	

21. $8m^2 - 3n^2 - 16mn$ 22. $12a^2 - 14ab - 9ac + 8bc$

Page 36   M4.5

1. $x^2 + 5x + 6$	2. $m^2 + 11m + 28$
3. $c^2 - 6c + 8$	4. $y^2 - 6y - 16$
5. $y^2 - 4y - 21$	6. $n^2 - 13n + 36$
8. $n^2 + 14n + 49$	9. $y^2 - 8y + 16$
10. $x^2 - 16x + 64$	11. both areas $= x^2 + 16x + 64$
12. $15x^2 + 22x + 8$	13. $10a^2 + 13a + 4$
14. $6n^2 + 2n - 28$	15. $21y^2 - 32y + 12$
16. $16a^2 + 48a + 36$	17. $25m^2 - 90m + 81$
18. $5y^2 + 36y + 36$	19. $63 - 10c - 8c^2$
20. $32x^2 - 4xy - 6y^2$	21. $2m^2 + 22m + 65$
22. $14c + 35$	23. $4x^8 + 20x^4y^6 + 25y^{12}$
24. $a^4 + 7a^2 b^3 - b^6$	

Page 37   M4.6

1. all values of x

2. $3x^2 + 21x - 2$, 3 terms

3. Polly

4. (a) $5x + 4 = 9$, $7x^2 - x = 3$, $8x^3 = 12$

(b) $4x - 3$, $6xy + y - 3$, $5x^2 + 4x - 3$

5. Natalie is correct because it is true for all values of x

6. 2, equation

7. $5xy + 15x^2 - xy^2 + 3y$

8. only true for 1 x-value

Page 37   E4.1

1. $x^3 + 11x^2 + 36x + 36$	2. $x^3 + 14x^2 + 63x + 90$
3. $x^3 - 3x^2 - 10x + 24$	4. $x^3 + 9x^2 + 27x + 27$
5. $x^3 - 12x^3 + 48x - 64$	6. $x^3 - 7x^2 + 8x + 16$
7. $30x^3 + 61x^2 + 26x + 3$	8. $4x^3 + 20x^2 - 9x - 45$
9. $3x^2 + 9x + 7$	10. $x^3 + x^2 - 8x - 12$

Page 38   M4.7

1. $n(n + 7)$
2. $2m(2p - 5)$
3. $2b(2a + 9c)$
4. $xy(x - 3y)$
5. $y(x + z)$
6. $a(a - 6)$
7. $m^2 + 2p$
8. $c(c + 9)$
9. $p(m - q)$
10. $3x(y + 3z)$
11. $5a(2b - 3c)$
12. $3w(6z - 5y)$
13. $3f(4g + 7)$
14. $2a(2a - 3)$
15. $5p(p - 6q)$
16. $6m(3p + 5)$
17. $4q(2p - 5q)$
18. $4y(4xz - 7y)$
19. $11a(3a + 5bc)$
20. $3mn(4m - 3n)$
21. $5ab(5a + 3c)$
22. $3x^2(2y + 5x)$
23. $7m(3m^2 - 4n^2)$
24. $12pqr(4q - 3p)$
25. $2y(4xy + 10xz + 3z^2)$
26. $8ab(5a^2 - 7b + 4ab^2)$
27. $9mn^2p^2(4mn - 6np - 3m)$

Page 39   M4.8

1. $(x + 5)(x + 7)$
2. $(m + 3)(m + 9)$
3. $(y - 3)(y - 1)$
4. $(n - 6)(n + 4)$
5. $(a - 9)(a + 3)$
6. $(c - 10)(c + 2)$
7. $(n - 8)(n - 3)$
8. $(y - 9)(y - 5)$
9. $(a + 6)(a - 5)$
10. $(x + 8)(x - 9)$
11. $(p + 11)(p + 4)$
12. $(m + 10)(m - 6)$
13. $(a - 8)(a - 7)$
14. $(q + 12)(q - 8)$
15. $(b - 15)(b + 10)$
16. $(x + 1)^2, a = 1$
17. $(x + 4)^2, b = 4$
18. $(x - 3)^2, c = 3$
19. $(x - 7)^2, d = 7$
20. $(x + 3)(x + 2)$
21. $(x - 6)(x + 2)$
22. $y = x - 4$
23. incorrect, $AB = x + 4$

Page 39   M4.9

1. $(x + y)(x - y)$
2. $(b + 3)(b - 3)$
3. $(y + 5)(y - 5)$
4. $(a + 8)(a - 8)$
5. $(n + 2)(n - 2)$
6. $(p + 1)(p - 1)$
7. $(6 + x)(6 - x)$
8. $(3y + z)(3y - z)$
9. $(7 + 2a)(7 - 2a)$
10. $(7x + 9y)(7x - 9y)$
11. $(12m + 5)(12m - 5)$
12. $(4b + \frac{1}{3})(4b - \frac{1}{3})$
13. $5(x + 2)(x - 2)$
14. $3(2a + 3b)(2a - 3b)$
15. $4(m - 5)(m + 3)$
16. $3(n + 4)(n - 4)$
17. $2(5 + b)(5 - b)$
18. $5(t + 1)(t + 2)$
19. $6(n - 5)(n - 2)$
20. $3(2p + 7)(2p - 7)$

21. $4(x - 6)(x + 2)$
22. $7(y + 7)(y - 1)$
23. $5(4 + 3a)(4 - 3a)$
24. $2(4x + 9y)(4x - 9y)$
25. $9(a - 5)(a + 4)$
26. $10(m - 4)(m - 4)$
27. $2(6y + 13)(6y - 13)$
28. $(3\pi + 1)(3\pi - 1)$
29. $(\frac{1}{2}e + 5)(\frac{1}{2}e - 5)$
30. $48x^3$
31. $-120x^2$
32. $(e + 4\pi)(e - 4\pi)$
33. $12x\sqrt{5}$
34. 228
35. $x(x - 3)(x - 7)$
36. $(x^2 + 1)^2$
37. $(x^2 - 6)(x^2 + 3)$

Page 40   E4.2

1. $(p + q)(m - n)$
2. $(a - b)(a - c)$
3. $(x + y)(m + n)$
4. $(c - d)(a - b)$
5. $(r + s)(p - q)$
6. $(p + r)(p - q)$
7. $(m - n)(m - k)$
8. $(a + 3)(b - c)$
9. $(2a + b)(4c + 5d)$
10. $(5x + 4z)(4x - 3y)$
11. $(e - 2\pi)(\theta + 3\mu)$
12. $(\sin\theta + \cos\theta)(\sin\alpha - \cos\alpha)$

Page 41   E4.3

1. $(x + 3)(5x - 2)$
2. $(2x - 5)(3x - 2)$
3. $(5x + 1)(x + 4)$
4. $(3a + 2)(a + 6)$
5. $(5y - 1)(2y - 3)$
6. $(3n + 1)(2n - 5)$
7. $(2c + 3)(7c - 3)$
8. $(2x + 9)(2x - 9)$
9. $(5m - 4)(4m - 3)$
10. $(9a - 2)(4a + 3)$
11. $(20n + 1)(10n + 1)$
12. $(9p + 1)(2p - 3)$
13. $(50x - 3)(2x + 1)$
14. $(7m - 4)(5m - 7)$
15. $16x + 8$
16. take out common factor 2

Page 41   M4.10

1. $x = 6$ or -3
2. $n = 0$ or -3
3. $a = 5$ or -1
4. $x = 1$ or 2
5. $a = -3$ or -1
6. $m = -5$ or -2
7. $y = 3$ or -4
8. $n = 2$ or -5
9. $x = 2$ or 6
10. $c = 3$ or -5
11. $m = 6$ or -4
12. $a = 3$ or 7
13. $n = 5$ or 0
14. $x = -7$ or 0
15. $y = 6$ or 0
16. $p = 2$ or -7
17. $n = 4$ or 8
18. $b = 3$ or 0
19. $x = 3$ or 10
20. $a = 9$ or 4
21. $m = 3$ or -8
22. $x^2 + 6x - 91 = 0, x = 7\,\text{cm}$

Page 42   E4.4

1. $p = 3$ or $\frac{2}{3}$

2. $a = \frac{1}{2}$ or $-\frac{1}{5}$

3. $y = -\frac{1}{2}$ or $-\frac{3}{4}$

4. $m = \frac{2}{7}$ or $\frac{5}{3}$

5. $m = \frac{1}{4}$ or 0

6. $h = \frac{3}{2}$ or $-\frac{5}{2}$

7. $x = \frac{1}{5}$ or $\frac{1}{9}$

8. $w = \frac{4}{3}$ or $-\frac{2}{5}$

9. $y = \pm\frac{5}{2}$

10. $h = 1$ or 2

11. $n = 7$ or $-\frac{2}{5}$

12. $n = 0, 5$ or -2

13. $n = \frac{1}{2}$ or $-\frac{4}{3}$

14. $w = \frac{4}{3}$ or $-\frac{3}{5}$

15. $x = \pm 2$

16. (a) $x = \frac{3}{2}$ or 5 (b) $w = \pm\sqrt{\frac{3}{2}}$ or $\pm\sqrt{5}$

17. $m = \pm 2, \pm 3$

Page 42   E4.5

1. (b) $10\,\text{cm}$

2. (a) $(s - 3)(s - 4) = 20$ (b) $s = 8$

3. $3\,\text{cm}$

4. $4\,\text{m}$

5. (b) $15\,\text{m}$ by $20\,\text{m}$

6. $72\,\text{cm}^2$

7. (b) $8, 8\frac{1}{2}$

8. $3\,\text{cm} \times 4\,\text{cm} \times 12\,\text{cm}$

Page 44   M5.1/M5.2

1. (a) $1, 2, 3, 6, 9, 18$ (b) $1, 2, 3, 5, 6, 10, 15, 30$ (c) 6

2. 120

3. (a) 3×5^2 (b) $2^2 \times 11$ (c) $2^4 \times 5$
   (d) $2 \times 3^3 \times 11$

4. (a) 18 (b) 6552

5. 21

6. (a) $2mn^2$ (b) $12m^3n^3$

7. $35\,\text{mins}$

8. 16 and 24

9. $60a^2b^3c$

10. (a) 12 (b) $2^2 \times 3^2 \times 5 \times 7 \times 11$ ($13\,860$)

11. (a) 22 (b) $2^2 \times 3^2 \times 5 \times 11$ (1980)

12. $x = 7, y = 5$

Page 45   M5.3

1. (a) 3×10^3 (b) 7×10^4 (c) $3 \cdot 4 \times 10^2$
   (d) $8 \cdot 9 \times 10^4$ (e) $4 \cdot 86 \times 10^5$ (f) $5 \cdot 98 \times 10^2$
   (g) 9×10^6 (h) $7 \cdot 6 \times 10^7$

2. (a) 4×10^{-3} (b) 7×10^{-4} (c) 9×10^{-1}
   (d) $1 \cdot 8 \times 10^{-3}$ (e) $5 \cdot 28 \times 10^{-1}$ (f) $1 \cdot 9 \times 10^{-5}$
   (g) $3 \cdot 4 \times 10^{-3}$ (h) $8 \cdot 17 \times 10^{-6}$

3. (a) $60\,000$ (b) 300 (c) $0 \cdot 03$
   (d) $56\,000$ (e) $240\,000$ (f) $0 \cdot 0086$
   (g) 4160 (h) $0 \cdot 768$

5. $2 \cdot 8 \times 10^4$

6. (a) 7×10^{-4} (b) $5 \cdot 3 \times 10^4$ (c) $9 \cdot 6 \times 10^{-2}$
   (d) $4 \cdot 87 \times 10^{-1}$ (e) $4 \cdot 9 \times 10^7$ (f) $5 \cdot 76 \times 10^5$
   (g) $7 \cdot 4 \times 10^{-4}$ (h) $8 \cdot 24 \times 10^1$ (i) 1×10^{-1}
   (j) $8 \cdot 64 \times 10^{-7}$ (k) $6 \cdot 18 \times 10^6$ (l) $4 \cdot 2 \times 10^7$

Page 45   M5.4

1. (a) $7 \cdot 3 \times 10^5$ (b) $4 \cdot 2 \times 10^{15}$ (c) 8×10^6
   (d) $3 \cdot 2 \times 10^{23}$ (e) $6 \cdot 8 \times 10^{-5}$ (f) $3 \cdot 74 \times 10^{-5}$
   (g) $4 \cdot 25 \times 10^{40}$ (h) $5 \cdot 6 \times 10^{-8}$

2. 8×10^9

3. (a) 5×10^{15} (b) 6×10^9 (c) 7×10^5
   (d) $6 \cdot 8 \times 10^{-26}$ (e) $1 \cdot 2 \times 10^{20}$ (f) $3 \cdot 6 \times 10^{46}$
   (g) 2×10^{15} (h) $3 \cdot 5 \times 10^{12}$ (i) 2×10^{37}
   (j) $1 \cdot 6 \times 10^{11}$ (k) $2 \cdot 9 \times 10^{28}$ (l) 5×10^{34}

4. Brooke, Carter, Brianna, Matt, Vanya

5. $4 \cdot 3 \times 10^5$

6. (a) $5 \cdot 7 \times 10^6$ (b) $8 \cdot 6 \times 10^8$ (c) $4 \cdot 61 \times 10^{12}$
   (d) $2 \cdot 1 \times 10^{-2}$ (e) $2 \cdot 43 \times 10^{-7}$ (f) $6 \cdot 96 \times 10^{24}$

7. $2 \cdot 825 \times 10^{-6}$

8. $4 \cdot 11 \times 10^6$

9. $3 \cdot 43 \times 10^{-34}$

10. 7×10^5

Page 47   M5.5

1. $3 \cdot 007 \times 10^8$

2. 7.48×10^{-20}

3. (a) $3 \cdot 02 \times 10^{36}$ (b) $6 \cdot 94 \times 10^{-57}$ (c) $1 \cdot 57 \times 10^{40}$
   (d) $1 \cdot 12 \times 10^{24}$ (e) $3 \cdot 59 \times 10^{13}$ (f) $2 \cdot 28 \times 10^{24}$
   (g) $4 \cdot 86 \times 10^{66}$ (h) $4 \cdot 09 \times 10^{14}$

4. £$1 \cdot 62 \times 10^{12}$

5. $1 \cdot 058 \times 10^{10}$

6. $4 \cdot 1 \times 10^7$ m

7. $1 \cdot 68 \times 10$

8. $7 \cdot 9 \times 10^{-3}$

9. $53 \cdot 8 \%$

10. $1 \cdot 01 \times 10^9$

Page 48   M5.6

1. (a) $23 \cdot 35$ cm   (b) $23 \cdot 45$ cm

2. (a) $3 \cdot 75$ m   (b) $3 \cdot 85$ m

3. $62 \cdot 5$ kg

4. $47 \cdot 15 \leqslant l < 47 \cdot 25$, $82 \cdot 5 \leqslant m < 83 \cdot 5$, $7 \cdot 25 \leqslant V < 7 \cdot 35$, $6 \cdot 865 \leqslant r < 6 \cdot 875$, $465 \leqslant A < 475$

5. $3 \cdot 141$

6. $36 \cdot 18 \leqslant x < 36 \cdot 19$

7. (a) $3 \cdot 45$ cm   (b) $4 \cdot 75$ cm

8. $503 \cdot 35 \leqslant c < 503 \cdot 45$

9. $23 \cdot 455 \leqslant$ time $< 23 \cdot 465$

10. Amelia (62 kg) heavier than John (61·5 kg)

11. (a) $350 \leqslant d < 370$

(b) $42 \cdot 5 \leqslant m < 47 \cdot 5$

(c) $6 \cdot 3 \leqslant x < 6 \cdot 5$

12. $18 \cdot 174 \leqslant y < 18 \cdot 175$

13. $8 \cdot 25$ g

14. 7

Page 49   E5.1

1. $193 \cdot 375$ cm^3

2. (a) $14 \cdot 4375$ (b) $2 \cdot 83$ (c) $11 \cdot 55$

3. $12 \cdot 65$ cm^2 (L), $13 \cdot 20$ cm^2 (H)

4. $1 \cdot 23 \%$

5. (a) $0 \cdot 10$ (b) $0 \cdot 16$

6. (a) $8 \cdot 34$ (L), $8 \cdot 40$ (H)

7. $6 \cdot 45$ cm $\leqslant l < 6 \cdot 5$

8. $2 \cdot 41 \leqslant d < 2 \cdot 59$

9. $11 \cdot 24$ (L), $11 \cdot 38$ (H)

Page 50   M5.7

1. 30

2. Yes

3. (a) 63   (b) 3

4. (a)

x	6	11	12	22
y	54	99	108	198

(b)

x	6	10	20	32
y	21	35	70	112

5. (b) $y = 7x$ (c) $\dfrac{y}{4} = x$ (d) $y = \dfrac{1}{2}x$

6. 22 m^2

7. (a) 63   (b) 6

8. $y = k\sqrt{x}$

Page 51   E5.2

1. $k = 5$

x	3	5	7	10
y	135	625	1715	5000

2. $k = 6$

x	4	9	64	100
y	12	18	48	60

3. (a) $m = 2\sqrt{n}$ (b) 10

4. (a) $L = 6W^2$ (b) 150   (c) 4

5. (a) $p = \dfrac{1}{2}Q^3$ (b) 108   (c) 10

6. (a) 4   (b) 8

7. (a) 15   (b) 343

Page 52   M5.8

1. (a) $3 \cdot 2$ (b) 8

2. (b) $y = \dfrac{4}{x}$,   (c) $xy = 6$,   (e) $4xy = 1$

3. $m = \dfrac{k}{p^2}$

4. (a) 5   (b) $\dfrac{3}{4}$

5. (a) 32   (b) 64

6. (a) 2   (b) $0 \cdot 5$

7.

x	1	4	8	20
y	20	5	2·5	1

Page 53   E5.3

1. (a) $y = \dfrac{60}{\sqrt[3]{x}}$ (b) 6   (c) 27

2. (a) $m = \dfrac{100}{v^2}$ (b) 25   (c) 20

3. (a) $W = \dfrac{16}{H^3}$ (b) $\dfrac{1}{4}$ (c) 8

4. y is halved

5. (a) 7·5   (b) 6·25

6. $V_1 = \dfrac{V_2 P_2}{P_1}$

16. 2

17. 13

18. $\dfrac{3}{8}$

19. $\dfrac{23}{11}$

20. $\dfrac{5}{4}$

21. $\dfrac{7}{4}$

22. $\dfrac{9}{2}$

23. $\dfrac{1}{5}$

Page 55   M6.1

1. 8

2. 60

3. -2

4. -1

5. -3

6. -2

7. 4

8. -12

9. -25

10. -21

11. $\dfrac{1}{2}$

12. $\dfrac{2}{7}$

13. $-\dfrac{3}{2}$

14. $\dfrac{7}{5}$

15. $-\dfrac{4}{7}$

16. $-\dfrac{11}{3}$

17. 18

18. -5

19. 2

20. 9

21. 8

22. $\dfrac{3}{4}$

23. $\dfrac{7}{9}$

24. $-\dfrac{3}{8}$

25. 7

26. 8

27. 4

28. 7

29. -1

30. 3

31. 10

32. $\dfrac{2}{3}$

33. 24

34. 49

35. 15

36. -10

37. -12

Page 56   M6.2

1. 2

2. 9

3. 3

4. 7

5. $\dfrac{3}{10}$

6. -1

7. 3

8. 3

9. 20

10. 12

11. 9

12. -7

13. 2

14. 3

15. -5

16. 1

17. 8

18. -7

19. 2

20. $\dfrac{5}{6}$

21. -6

22. 6

23. 5

Page 56   M6.3

1. 56

2. 32

3. 15

4. 25

5. 38

6. $\dfrac{1}{3}$

7. 6

8. $3\frac{1}{2}$

9. $\dfrac{11}{3}$

10. 1

11. 18

12. 4

13. 5

14. $\dfrac{1}{2}$

15. -7

Page 57   M6.4

1. (a) $20x + 220 = 360$

   (b) $x = 7$

   (c) $105°, 79°, 95°, 81°$

2. 7 cm

3. £18

4. (a) 4   (b) 37

5. (a) $9x + 6 = 60$ (b) 6

6. $114°$

7. (a) $n + 1, n + 2$ (b) $3n + 3 = 144$ (c) $n = 47, 48, 49$

8. (a) $x = 12$ (b) 135 cm^2

9. 34 m/s

10. $64 \text{ cm} \times 165 \text{ cm}$

Page 58   M6.5

1. $b = a + 10$

2. $m = \dfrac{n}{5}$

3. AD, BC

4. part (b)

5. (a) $\dfrac{m + f}{c}$ (b) $\dfrac{x - h}{g}$ (c) $\dfrac{y + 2m}{a}$

   (d) $\dfrac{v}{m} - p$ or $\dfrac{v - pm}{m}$ (e) $\dfrac{y}{x} - f$ or $\dfrac{y - fx}{x}$

   (f) $\dfrac{x}{h} + 3$ or $\dfrac{x + 3h}{h}$ (g) $8(y + 2)$

   (h) $\dfrac{q}{w} + p$ or $\dfrac{q + pw}{w}$ (i) $y(3g - f)$

6. $\dfrac{3c + b}{a}$

7. $\dfrac{ba - c}{m}$

8. $\dfrac{ym}{3} - c$ or $\dfrac{ym - 3c}{3}$

9. (a) $\dfrac{c}{a} - b$ or $\dfrac{c - ba}{a}$ (b) $rq - p$

   (c) $\dfrac{rt}{p} - q$ or $\dfrac{rt - qp}{p}$ (d) $\dfrac{h}{u}$

   (e) $\dfrac{k - wb}{w}$ or $\dfrac{k}{w} - b$ (f) $\dfrac{d - cb}{ac}$

10. (a) $\dfrac{a-c}{b}$ (b) $\dfrac{p-ry}{q}$

(c) $g(h-k)$ (d) $m(p-q)-t$

(e) $\dfrac{b^2-c}{a}-b$ or $\dfrac{b^2-c-ab}{a}$

(f) $\dfrac{q(y+c)-b}{a}$

8. (a) $\dfrac{a}{c^2+b}$ (b) $\dfrac{1}{1-t^2}$ (c) $\dfrac{ab^3}{1-b^3}$

(d) $\dfrac{c}{1-\sqrt{a}}$ (e) $\dfrac{m}{\sqrt[3]{y}-1}$ (f) $\dfrac{p^2x-w}{p^2-1}$

9. $\dfrac{cu-dy}{ad-cb}$

10. $\dfrac{WQ}{Px+M}$

Page 59   M6.6

1. (a) $(a-b)^2$ (b) a^2-b (c) $\sqrt[3]{(6m-w)}$

2. (a) $\sqrt{(c-b)}$ (b) $\sqrt{\left(\dfrac{r-q}{p}\right)}$ (c) $\sqrt{\dfrac{b}{a}}$

(d) $\sqrt{\dfrac{cb}{a}}$ (e) $(m+w)^2$ (f) $(zv-u)^2$

(g) $\left(\dfrac{cd-b}{a}\right)^2$ (h) $\sqrt[3]{(a-b)}$ (i) r^2t^2+p

3. $\sqrt{(v^2-2as)}$ **4.** $\sqrt[3]{\dfrac{A}{4\pi}}$

5. $\dfrac{w-up}{4q^2}$ **6.** $\sqrt{\dfrac{A}{8}}+p$

7. (a) $\dfrac{m}{h}$ (b) $v(w+x)$ (c) $g(h-k)$

(d) $\dfrac{a}{(p-q)}$ (e) $\dfrac{b}{m}-c$ or $\dfrac{b-mc}{m}$

(f) $\dfrac{6a}{y}+w$ or $\dfrac{6a+wy}{y}$

8. $\dfrac{c(h+a)}{b}-d$ or $\dfrac{c(h+a)-db}{b}$

9. T^2g+a

10. (a) h^2m (b) r^3+z (c) $\sqrt[3]{\dfrac{2A}{m}}$

(d) $\dfrac{c^3+b}{a}$ (e) $\dfrac{p^2-n}{m}$ (f) $\sqrt[3]{v-a}$

(g) $\sqrt[3]{\dfrac{x+q}{p}}$ (h) w^2n+m (i) $\dfrac{27x^3-p}{m}$

Page 60   M6.7

1. (a) $\dfrac{b}{a-c}$ (b) $\dfrac{3w}{p-1}$

2. (a) $\dfrac{f}{m-c}$ (b) $\dfrac{w}{m-p}$ (c) $\dfrac{d-b}{a-c}$

(d) $\dfrac{fb+ac}{a-b}$ (e) $\dfrac{my}{4-m}$ (f) $\dfrac{mn-p}{q+m}$

3. $\dfrac{c}{a-b}$ **4.** $\dfrac{d}{a-e}$

5. $\dfrac{bc}{a-c}$ **6.** $\dfrac{tr-p}{st-q}$

7. $\dfrac{eb}{k-e}$

Page 61   E6.1

1. (a) 12 (b) -6 (c) 3 (d) 606

2. (a) 27 (b) -1 (c) -64 (d) $\dfrac{1}{8}$

3. (a) 49 (b) 9 (c) 1 (d) $(p+3)^2$

4. (a) $-\dfrac{1}{4}$ (b) $\dfrac{3}{5}$ (c) -1 (d) $\dfrac{w^2+3w-1}{w+4}$

5. 8

6. -2

7. 11

8. 6 or -3

9. 2 or 4

10. (a) 3 (b) 7 or -2 (c) 0 or 8

11. (a) $3x-4$ (b) $12x+9$ (c) $3-3x$

(d) $-10-18x$

12. -1

13. $8x+9$

14. (a) $3x+6$ (b) $6x-6$ (c) $-3x-6$

15. 4, -2

16. $3(10x-1)$

Page 62   E6.2

1. (a) $\dfrac{x-5}{6}$ (b) $\dfrac{7x-5}{3}$ (c) $\dfrac{x}{6}+\dfrac{2}{3}$ or $\dfrac{x+4}{6}$

2. (a) $\dfrac{3x-17}{4}$ (b) $2 \cdot 5$

3. 50 **4.** $3\dfrac{3}{4}$ **5.** 35

6. -2 **7.** $x<6$ **8.** 3

9. 2 **10.** 20

Page 63   E6.3

1. (a) $10x^3+5$ (b) $(7x-4)^3-1$ (c) $70x+101$

(d) $49x-32$ (e) $70x-25$ (f) $100x+165$

2. (a) 13 (b) -27 (c) $1 \cdot 5$

3. 1

4. -1

5. $x \leqslant -2$

6. (a) $-\dfrac{7}{9}$ (b) $-\dfrac{7}{3}$

7. (a) $\dfrac{x-9}{2}$ (b) $\dfrac{5x-45}{2}$ (c) $\dfrac{x}{5}$

     (d) 27 (e) -3 (f) $\dfrac{x+36}{5}$

8. $-4, 1$

9. 20

10. $\dfrac{19}{20}$

Page 64   E6.4

1. $4 \cdot 8$

2. (a) $7 \cdot 7$ (b) $8 \cdot 3$

3. $5 \cdot 4$

4. (a) $7 \cdot 80$ (b) $3 \cdot 20$ (c) $3 \cdot 12$

Page 65   E6.5/6.6

1. $6 \cdot 23$

2. $3 \cdot 19$

3. (a) $1 \cdot 10$ (b) $x^3 + 3x^2 - 5 = 0$ (c) $x^3 + 3x^2 - 5 = 0$

4. (b) $5 \cdot 34$

5. (a) $\dfrac{3x}{\sqrt{2}} + \dfrac{\pi x^2}{8} = 48$ (b) $8 \cdot 68$

Page 66   M6.8

1. (a) $y = 1$ (b) $x = 1$ (c) $x = -2$ (d) $y = -3$

3. $(0, 4)(1, 3)(2, 2)(3, 1)$

4. $(-3, -3)(-2, -1)(-1, 1)(0, 3)(1, 5)(2, 7)(3, 9)$

Page 66   M6.9

1. (a) $(-3, 11)(-2, 6)(-1, 3)(0, 2)(1, 3)(2, 6)(3, 11)$

     (b) $(0, 2)$

2 (a) $(-5, 5)(-4, 0)(-3, -3)(-2, -4)(-1, -3)(0, 0)(1, 5)$
       $(2, 12)$

     (b) (i) $(-2, -4)$ (ii) $(0, 0)$ (iii) $(-4, 0), (0, 0)$

3. (a) $(-5, -4)(-4, -8)(-3, -10)(-2, -10)(-1, -8)$
       $(0, -4)(1, 2)(2, 10)$

     (b) (i) $(-2 \cdot 5, -10 \cdot 25)$ (ii) $(0, -4)$ (iii) $(0 \cdot 7, 0), (-5 \cdot 7, 0)$

4. (a) $(-3, 26)(-2, 15), (-1, 8), (0, 5), (1, 6), (2, 11), (3, 20)$

     (b) (i) $(0 \cdot 25, 4 \cdot 9)$ (ii) $(0, 5)$ (iii) no intercepts

Page 67   M6.10

1. (a) $(-3, -20)(-2, -3)(-1, 2)(0, 1)(1, 0)(2, 5)(3, 22)$

     (b) $(0, 1)$

     (c) $(0 \cdot 8, -0 \cdot 1), (-0 \cdot 8, 2 \cdot 1)$

2. (a) $(-2, -13), (-1, 0), (0, 3), (1, 2), (2, 3), (3, 12), (4, 35)$

     (b) $(0, 3)$ (c) $(0, 3), (1 \cdot 3, 1 \cdot 8)$

3. (b) $-1 \cdot 5$

4. A$\to$5, B$\to$6, C$\to$2, E$\to$1, F$\to$3, G$\to$4

Page 68   M6.11

2. (a) $110 \, \text{km}$ (b) $09 : 15$ (c) $08 : 45$

     (d) $20 \, \text{km/h}$ (e) $100 \, \text{km/h}$

3. (b) $14 \cdot 3$ (c) $4 \cdot 5$

4. (d) $22 \cdot 1$ (e) $2 \cdot 7$

Page 69   M6.12

1. A, $\dfrac{1}{2}$; B, $\dfrac{1}{3}$; C, 1 ; D, 4; E, 3.

2. A, -3; B, -1; C, -2 ; D, 2; E, $-\dfrac{1}{4}$; F, $-\dfrac{1}{2}$

3. (a) 3 (b) $\dfrac{5}{3}$ (c) -1

     (d) $-\dfrac{3}{4}$ (e) -2 (f) $-\dfrac{3}{2}$

4. -3

5. (a) -20 (b) -5

Page 70   M6.13

1. (a) and (b) all -2

     (c) y intercept $= c$ in $y = mx + c$

2. (b) all $+3$ (c) y intercept $= c$ in $y = mx + c$

Page 70   M6.14

1. $y = 5x + 1, y = 5x + 4, y = 3 + 5x$

2. $y = 3x + 2, y = 2 + 4x$

3. (a) (i) 8 (ii) 4 (b) (i) 2 (ii) -6

     (c) (i) 1 (ii) 0 (d) (i) 1 (ii) -5

     (e) (i) -2 (ii) 4 (f) (i) $\dfrac{1}{4}$ (ii) 3

     (g) (i) -3 (ii) 2 (h) (i) 7 (ii) -6

     (i) (i) 2 (ii) 3 (j) (i) $-\dfrac{2}{3}$ (ii) $\dfrac{1}{3}$

     (k) (i) $-\dfrac{5}{2}$ (ii) $\dfrac{7}{2}$ (l) (i) $\dfrac{4}{5}$ (ii) $-\dfrac{3}{5}$

4. A, $y = x + 2$; B, $y = \dfrac{1}{2}x - 2$; C, $y = -3x - 2$

5. $y = 6x + 5$

6. $y = 2x + 3$

7. (a) $y = 4x + 1$ (b) $y = -3x + 2$

8. $y = -\frac{1}{2}x + 9$

9. $y = 3x - 13$

10. $y = -2x - 3$

Page 72   E6.7

1. (c) $y = -x - 1$ (d) -1

2. (c) $y = -\frac{1}{2}x + 6$ (b) -1

3. (a) -1 (b) $-\frac{1}{5}$

Page 72   E6.8

1. (a) $-\frac{1}{4}$ (b) $-\frac{1}{9}$ (c) $\frac{1}{2}$

(d) $-\frac{1}{6}$ (e) $+1$ (f) -5

(g) $-\frac{7}{3}$ (h) 3 (i) $\frac{5}{2}$

(j) 4 (k) -10 (l) $-\frac{5}{13}$

2. (a) -3 (b) 1
    (c) $y = -3x + 2$ (d) $y = x - 1$

3. $y = -\frac{1}{4}x - 3$

4. $y = 2x + 9$

5. $y = 3x + 2$

6. $x - 3y = 6, y = \frac{1}{3}x + 5$

7. (a) $y = 6x + 5$ (b) $y = 3x - 1$
    (c) $y = \frac{1}{2}x + 4$ (d) $y = \frac{1}{3}x - 2$

8. gradients $-\frac{2}{3}$ and $\frac{3}{2}$ so product $= -1$

9. $y = x - 7$

10. $y = 2x + 7$

Page 73   E6.9

1. 110   **2.** 4·25   **3.** 2600

4. 305   **5.** 3·95

Page 74   E6.10

1. (a) 3·33   (b) 3·33   (c) 4·17

2. ≈ 6

3. (b) $\approx 2\cdot8$ (c) $\approx 2\cdot8$

4. 3·75 cm per week

5. (b) $\approx -1\cdot5$ g/month (c) $\approx -0\cdot43$ g/month

Page 75   E6.11

1. (a) $-2\cdot5$ m/s²   (b) 200 m

2. (b) 15 secs   (c) $1\cdot5$ m/s²   (d) 637·5 m

3. (a) $3\cdot2$ m/s²   (b) 2 m/s²   (c) 850 m

4. (b) ≈ 4 m/s²   (c) ≈ 41 m   (d) 0 m/s²

5. (a) 55 secs   (c) 72 m

Page 76   E6.12

1. 8s

2. 30·4 m

3. 51·2 m

4. (a) 9·90 m/s   (b) 10 m   (c) 2·86 s

5. 9·90 m/s

6. (a) 11·8 s   (b) 680·8 m

7. 1·5 m/s²

8. (a) 0·7 m/s²   (b) 1·9 m/s

Page 77   M8.1

1. $\frac{58}{120}$, Yes

2. (a) 30

(b) 1, 0·113; 2, 0·1; 3, 0·15; 4, 0·113; 5, 0·125; 6, 0·113; 7, 0·138; 8, 0·15

(c) Dice is not fair. Biased towards 3 and 8

3. 0·25, 0·325, 0·35, 0·325, 0·36, 0·39, 0·38, 0·37, 0·38, 0·38

(c) 0·38

4. Natalie, because everyone else got about the same answer.

Page 78   M8.2

1. (a) $\frac{1}{15}$ (b) $\frac{2}{15}$ (c) $\frac{1}{5}$ (d) $\frac{2}{15}$

2. (a) $\frac{4}{13}$ (b) $\frac{11}{13}$ (c) $\frac{6}{13}$

3. (a) $\frac{3}{10}$ (b) $\frac{2}{3}$

4. (a) $\frac{1}{6}$ (b) $\frac{3}{8}$ (c) $\frac{11}{24}$

5. (a) $\frac{1}{5}$ (b) $\frac{4}{5}$ (c) 0 (d) $\frac{9}{18} = \frac{1}{2}$

6. (a) $\frac{1}{2}$ (b) $\frac{1}{2}$ (c) $\frac{1}{2}$

7. $\frac{1}{6}$ **8.** $\frac{y}{x + y + z}$

9. $\frac{n - 8 - m}{n}$ **10.** $\frac{x - y + z - 6}{x - y + z - 1}$

Page 80   M8.3

1. 24

2. (a) 20   (b) 20   (c) 40   (d) 40

3. 64

4. 28

5. 4

6. (a) 7   (b) 35   (c) 63

7. 17

8. (a) $\frac{3}{5}$ (b) 6   (c) 9

Page 81   M8.4

1. (a) (1, 2)(1, 4)(1, 11)(1, 12)(8,2)(8, 4)(8, 11)(8, 12)(27, 2)
   (27, 4)(27, 11)(27, 12)

   (b) 12

2. BBB, BBG, BGG, GGG

3. AK, AJ, AT, KJ, KT, JT

4. (a)

×	1	2	3	4
1	1	2	3	4
2	2	4	6	8
3	3	6	9	12
4	4	8	12	16

   (b) $\frac{1}{4}$ (c) $\frac{3}{16}$ (c) $\frac{1}{4}$

5. No $\left(\text{Marie } \frac{4}{30}, \text{ Don } \frac{6}{30}\right)$

Page 82   E8.1

1. 48   2. 4569760   3. 1980   4. 840

5. 12   6. (a) 2730   (b) 455   8. 60

Page 83   M8.5

1. (a) {4, 6}   (b) {3, 5}   (c) 4
   (d) {3, 4, 5, 6}   (e) {4, 6, 7, 9}   (f) {7, 9}

2. (a) {2, 3, 5, 9, 10, 11, 12}   (b) 2
   (c) {2, 3, 5, 9, 10, 11}   (d) {5, 9}

3. (a) {ψ}   (b) {α, θ}   (c) 1
   (d) 3   (e) {β}   (f) {μ, γ, β, ψ}

4. (a) true   (b) false   (c) true

5. (a) {a, c, d, e, g, i} (b) 2   (c) {c, e, i, g}
   (d) {c, g}   (e) {a, b, c, d, f, g, h}
   (f) {a, b, c, d, f, g, h}   (g) 3
   (h) {e, i}   (i) {a, b, d, e, f, h, i}

Page 83   M8.6

1. (a)   (b)   (c)

   (d)   (e)   (f)

2. (a) P′ ∩ Q   (b) P ∩ Q′   (c) (P ∪ Q ∪ R)′

3.

4. (a)   (b)   (c)

   (d)   (e)   (f)

Page 84   M8.7

1. (a) $\frac{47}{80}$ (b) $\frac{59}{80}$ (c) $\frac{1}{16}$ (d) $\frac{21}{80}$

2. (a) $\frac{19}{40}$ (b) $\frac{1}{5}$

   (c) probability of choosing a student who eats a school
   lunch but no school breakfast

   (d) $\frac{49}{200}$ (e) $\frac{4}{5}$

3. $\frac{7}{16}$

4. (a) $\frac{49}{83}$ (b) $\frac{11}{83}$ (c) $\frac{55}{83}$
   (d) $\frac{16}{83}$ (e) 12

5. $\frac{6}{25}$

Page 85   M8.8

1. $\frac{1}{4}$

2. $\frac{1}{36}$

3. (a) $\frac{1}{16}$ (b) $\frac{1}{169}$

4. (a) $\frac{9}{121}$ (b) $\frac{4}{121}$

5. (a) 0·28   (b) 0·42   (c) 0·18

6. (a) $\frac{1}{4}$ (b) $\frac{9}{100}$ (c) $\frac{16}{100}$

7. $\frac{1}{1296}$

8. (a) $\frac{1}{7}$ (b) $\frac{3}{7}$

Page 86   M8.9

1. part (a) only

2. (a) 0·7   (b) 0·2

3. $\frac{2}{5}$

4. $\frac{7}{12}$

5. (a) 0·15   (b) 0·4   (c) 8

6. not exclusive

7. (a) 0·15   (b) 0·35

8. $\frac{13}{20}$

Page 87   M8.10

1. (b) $\frac{64}{121}$ (c) $\frac{9}{121}$ (d) $\frac{48}{121}$

2. (b) (i) 0·49   (ii) 0·42

3. (b) (i) $\frac{1}{64}$ (ii) $\frac{27}{64}$ (iii) $\frac{37}{64}$

4. (a) $\frac{5}{72}$ (b) $\frac{91}{216}$

5. (a) 0·008   (b) 0·384   (c) 0·488

Page 89   M8.11

1. (b) $\frac{5}{14}$ (c) $\frac{15}{28}$

2. (b) $\frac{7}{12}$ (c) $\frac{7}{18}$ (c) $\frac{11}{18}$

3. (b) (i) $\frac{11}{850}$ (ii) $\frac{997}{1700}$ (iii) $\frac{741}{1700}$

4. (b) $\frac{7}{44}$ (c) $\frac{37}{44}$ (d) $\frac{7}{22}$

5. (a) $\frac{(15-x)(14-x)}{210}$

   (b) $\frac{210+x-x^2}{210}$ (c) $\frac{15x-x^2}{105}$

Page 90   E8.2

1. (b) 0·5075   (c) 0·604

2. (a) $\frac{9}{28}$ (b) $\frac{6}{11}$

3. (a) 0·089   (b) 0·373   (c) 0·542

4. (a) $\frac{11}{20}$ (b) $\frac{8}{45}$

5. (a) 0·43   (b) 0·789

6. $\frac{27}{43}$

Page 91   E8.3

1. (b) 0·375   (c) 0·048

2. (a) $\frac{52}{147}$ (b) $\frac{1}{7}$ (c) $\frac{11}{49}$

   (d) $\frac{1}{21}$ (e) $\frac{3}{8}$ (f) $\frac{37}{102}$

   (g) probability of having an indian meal but no chinese meal

3. (b) 63 %   (c) 0·730

4. $\frac{99}{200}$

5. (b) $\frac{2}{5}$ (c) $\frac{1}{5}$

6. (a) $\frac{7}{n} \times \frac{6}{n-1} = \frac{1}{5}$ (b) 15

7. (a) $\frac{3}{22}$ (b) $\frac{7}{12}$

Page 93   M9.1

3. 2   **4.** 4   **5.** 2   **6.** 6

7. 3   **8.** 1   **9.** 8   **10.** 6

Page 94   M9.2

1. 2   **3.** 9

Page 95   M9.3

1. (a) $\begin{pmatrix}3\\2\end{pmatrix}$ (b) $\begin{pmatrix}2\\3\end{pmatrix}$ (c) $\begin{pmatrix}2\\-1\end{pmatrix}$ (d) $\begin{pmatrix}3\\0\end{pmatrix}$

   (e) $\begin{pmatrix}4\\-4\end{pmatrix}$ (f) $\begin{pmatrix}-3\\1\end{pmatrix}$ (g) $\begin{pmatrix}0\\5\end{pmatrix}$ (h) $\begin{pmatrix}-3\\-1\end{pmatrix}$

   (i) $\begin{pmatrix}5\\4\end{pmatrix}$ (j) $\begin{pmatrix}2\\5\end{pmatrix}$

2. (e) $\begin{pmatrix}3\\-2\end{pmatrix}$

Page 96   M9.4

1. (a) x axis   (b) $x=-1$ (c) $x=2$
   (d) $y=1\frac{1}{2}$ (e) $y=-1$

2. (d) $\frac{7}{2}$

3. (g) translation $\begin{pmatrix}5\\3\end{pmatrix}$

4. (f) $y=x+1$

Page 97   M9.5

5. (a) (3, 4)   (b) (7, 4)   (c) (4, 4)

6. (f) $\begin{pmatrix}-4\\4\end{pmatrix}$

7. (a) 90° Clockwise, centre (0, 0)

    (b) 90° Clockwise, centre (3, −1)

    (c) 90° Clockwise, centre (1, −1)

Page 98   M9.6

1. Scale Factor 2, centre (1, 5)

2. Scale Factor 3, centre (−4, 5)

6. (g) $\begin{pmatrix} 2 \\ -7 \end{pmatrix}$

Page 99   E9.1

1. (d) (4, −1)

2. Scale Factor −3, centre (−1, 2)

3. Scale Factor $-\dfrac{1}{2}$, centre (−3, 1)

4. (e) Translation $\begin{pmatrix} 0 \\ 4 \end{pmatrix}$

Page 100   E9.2

1. (a) Rotation 90° anti-clockwise, centre (0, 0)

    (b) Reflection in x axis

    (c) Translation $\begin{pmatrix} 3 \\ 2 \end{pmatrix}$

    (d) Enlargement s.f. 3 centre (0, 0)

    (e) Reflection in $x = -1$

2. (g) Translation $\begin{pmatrix} -4 \\ -5 \end{pmatrix}$

3. (g) Reflection in $x = -2$

Page 102   M10.1

1. 80

2. 30·36 litres

3. (a) 260   (b) 382   (c) 4·7   (d) 9

    (e) 0·4   (f) 1·5   (g) 3500   (h) 0·6

    (i) 280   (j) 1900   (k) 0·62   (l) 1 937 000

    (m) 8200   (n) 3260   (o) 0·043

4. No, medicine spoon holds about 5 *ml*

5. No. He needs 14·3 kg

6. (a) 7·4 cm, 8 cm, 83 mm, 0·81 m

    (b) 0·7 kg, 738 g, 780 g, 0·79 kg

    (c) 57 m, 509 m, 0·6 km, 4·7 km, 5 km

    (d) 274 *ml*, 275 *ml*, 0·279 *l*, 0·28 *l*, 2·14 *l*

Page 103   M10.2

1. (a) 45   (b) 44   (c) 18   (d) 15   (e) 16

    (f) 75   (g) 5400   (h) 6   (i) 7   (j) 315

2. (a) stones/pounds   (b) inches   (c) feet

3. Harry

4. Yes

5. B

6. (a) 3 gallons (b) 12 km   (c) 3 miles   (d) 10 pounds

    (e) 700 cm   (f) 35 *l*   (g) 9 ins   (h) 1 m

7. No, she is travelling at 68·75 mph

Page 104   M10.3

1. 126 km/hr   **2.** 3·09 hrs   **3.** 12 km/hr

4. 126 km   **5.** 141 km/hr   **6.** $1\frac{7}{8}$ mph

7. 50·4 miles   **8.** 8:50 am

9. (a) 50 miles   (b) 64 miles   (c) 40 mph

    (d) 11:27   (e) 15 mins   (f) 50 mph

10. Terry   **11.** $\dfrac{18x}{5}$ km/hr

12. 74·5 km/hr   **13.** $\dfrac{5}{18}(5x - 3y)$ m/s

14. 55

Page 105   M10.4

1. 9 g/cm³   **2.** 480 g

3. 30 cm³   **4.** 5·25 Pa

5. 3·2 m²   **6.** Steel by 0·5 cm³

7. 35·52 kg   **8.** 0·040 m

9. 62·38 kg   **10.** 63 $(x^2 - 3y)$

11. 30 cm by 20 cm face

12. $\dfrac{1000m + n}{\dfrac{1000m}{x} + \dfrac{n}{y}} = \dfrac{xy\,(1000m + n)}{1000my + nx}$

Page 107   M10.5

1. 7·81 cm

2. 5 cm

3. (a) 4.47 cm   (b) 10·30 cm   (c) 18·57 cm

4. 9·22 cm

5. 13·23 cm

6. 5·39 cm

7. 5 cm

8. 19·42 cm

Page 108   M10.6

1. 11·40 cm

2. 48 m

3. 5.10 m

4. 180.28 km

5. 270 cm^2

6. (a) $\sqrt{13}$ cm   (b) $\sqrt{12}$ cm $= 2\sqrt{3}$ cm
   (c) $\sqrt{20}$ cm $= 2\sqrt{5}$ cm

7. 17.49 m

8. $\sqrt{40} = 2\sqrt{10}$

9. $\sqrt{90} = 3\sqrt{10}$

10. (a) 8.49 cm   (b) 11.31 cm

11. 49.61 cm^2

12. $(29 + \sqrt{185})$ cm

Page 110   M10.7

1. No	**2.** Yes	**3.** No	**4.** No
5. Yes	**6.** Yes	**7.** Yes	**8.** No

Page 110   M10.8

1. 10.5 cm	**2.** 17.3 cm	**3.** 8.02 cm
4. 22.2 cm	**5.** 7.58 cm	**6.** 11.3 cm
7. 14.5 cm	**8.** 27.6 cm	**9.** 115 cm
10. 1.99 cm	**11.** 7.49 cm	**12.** 17.9 cm

13. (a) 9.20 cm   (b) 10.9 cm

14. 15.8 cm	**15.** 20.7 cm	**16.** 7.66 cm

Page 112   M10.9

1. $62.2°$	**2.** $25.3°$	**3.** $79.9°$
4. $28.9°$	**5.** $44.3°$	**6.** $14.0°$
7. $10.3°$	**8.** $65.4°$	**9.** $89.3°$
10. $17.9°$	**11.** $64.4°$	**12.** $25.9°$

Page 113   M10.10

1. 5 cm

2. $7\sqrt{3}$ cm

3. $6\sqrt{3}$ cm

4. 12 cm

5. (a) $(8 + 4\sqrt{2})$ cm   (b) $(36 + 12\sqrt{3})$ cm
   (c) $(9 + 9\sqrt{3})$ cm

6. $75°$

7. $15°$

Page 114   M10.11

1. $49.5°$	**2.** 16.5 cm	**3.** 10.8 cm
4. 5.91 m	**5.** 11.0 cm	**6.** $(24 + 8\sqrt{3})$ cm
7. 29.4 cm^2	**8.** 13.8 cm^2	**9.** 7.48 cm
10. Q by 2 cm^2	**11.** 32.5 cm	**12.** 12 cm

Page 117   M10.12

1. $\overrightarrow{AB} = \begin{pmatrix} 3 \\ 3 \end{pmatrix}$, $\overrightarrow{CD} = \begin{pmatrix} 1 \\ -1 \end{pmatrix}$, $\overrightarrow{EF} = \begin{pmatrix} 2 \\ 1 \end{pmatrix}$, $\overrightarrow{GH} = \begin{pmatrix} -1 \\ 3 \end{pmatrix}$, $\overrightarrow{IJ} = \begin{pmatrix} 4 \\ 4 \end{pmatrix}$

$\mathbf{a} = \begin{pmatrix} 2 \\ 3 \end{pmatrix}$ $\mathbf{b} = \begin{pmatrix} -1 \\ -4 \end{pmatrix}$ $\mathbf{c} = \begin{pmatrix} 1 \\ 2 \end{pmatrix}$

$\mathbf{d} = \begin{pmatrix} 4 \\ -2 \end{pmatrix}$ $\mathbf{e} = \begin{pmatrix} -3 \\ -5 \end{pmatrix}$

2. $\mathbf{a} = \sqrt{13}$ $\mathbf{b} = \sqrt{17}$ $\mathbf{c} = \sqrt{5}$
   $\mathbf{d} = \sqrt{20}$ $\mathbf{e} = \sqrt{34}$

4. $\sqrt{29}$

Page 118   M10.13

1. (a) $\begin{pmatrix} -9 \\ 6 \end{pmatrix}$ (b) $\begin{pmatrix} -20 \\ -4 \end{pmatrix}$ (c) $\begin{pmatrix} -1 \\ 6 \end{pmatrix}$

(d) $\begin{pmatrix} -11 \\ 3 \end{pmatrix}$ (e) $\begin{pmatrix} 15 \\ 21 \end{pmatrix}$ (f) $\begin{pmatrix} -15 \\ 12 \end{pmatrix}$

(g) $\begin{pmatrix} 8 \\ 12 \end{pmatrix}$ (h) $\begin{pmatrix} -4 \\ 1 \end{pmatrix}$

2. (a) $\mathbf{a} + \mathbf{b}$ (b) $5\mathbf{a} + 6\mathbf{b}$ (c) $\frac{1}{2}\mathbf{a} + \frac{1}{2}\mathbf{b}$

(d) $\frac{3}{2}\mathbf{b} - 2\mathbf{a}$ (e) $\frac{7}{3}\mathbf{a} - \frac{1}{6}\mathbf{b}$ (f) $\frac{5}{2}\mathbf{a} - \frac{1}{2}\mathbf{c} + 2\mathbf{b}$

3.

4. (a) $\mathbf{a} + \mathbf{b}$ (b) $-\mathbf{a} - \mathbf{b}$ (c) $\mathbf{a} + \mathbf{b} - \mathbf{c}$
   (d) $\mathbf{b} - \mathbf{c}$

6. (a) $\mathbf{n}$ (b) $-\mathbf{m}$ (c) $\mathbf{n} - \mathbf{m}$
   (d) $-\mathbf{m} - \mathbf{n}$

7. (a) $(7, 3)$ (b) $(6, 0)$ (c) $\begin{pmatrix} -1 \\ -3 \end{pmatrix}$

Page 119   E10.1

1. (a) $\frac{1}{2}\mathbf{p}$ (b) $\mathbf{p} + \mathbf{q}$ (c) $\frac{2}{3}(\mathbf{p} + \mathbf{q})$

(d) $\frac{1}{6}\mathbf{p} + \frac{2}{3}\mathbf{q}$ (e) $\frac{1}{2}\mathbf{p} + \mathbf{q}$ (f) $\frac{1}{3}\mathbf{p} - \frac{2}{3}\mathbf{q}$

2. (a) $4\mathbf{p} - 2\mathbf{a}$ (b) $12\mathbf{b} - 6\mathbf{a}$ (c) $1:3$

3. (a) **b** − 6**a**   (b) **b** − 6**a**

   (c) opposite sides are equal and parallel

4. (a) 4**a** + 6**b**   (b) 3**a** + 8**b**   (c) 4**a** + 13**b**

   (d) 6**a** + 9**b**   (f) 2 : 3

Page 120   M11.1

1. (a)

	paper	bottles	cans	Total
Boys	86	73	89	248
Girls	220	58	74	352
Total	306	131	163	600

   (b) 220   (c) 27·2%

2.

	stay in 6th form	go to college	leave education	Total
Year 10	86	128	26	240
Year 11	120	109	31	260
Total	206	237	57	500

   (a) 48%   (b) 47·4%

3. (a)

	dvd	cinema	theatre	Total
Male	1	5	2	8
Female	6	4	2	12
Total	7	9	4	20

   (a) 25%

4.

	car	walk	bike	train	Total
Birmingham	314	117	31	69	531
Nottingham	216	175	41	37	469
Total	530	292	72	106	1000

   (a) $\frac{31}{531}$ (b) 10·6%

Page 121   M11.2

1. adventure 48°, comedy 144°, horror 56°, romance 16°, cartoon 96°

2. $b = 69°, g = 24°, r = 84°, y = 123°, p = 12°$, other $= 48°$

3. (a) 100   (b) 75   (c) 125

4. (a) 40   (b) 24   (c) 96

5. (a) 144°   (b) 54°   (c) 126°

6. We do not know the number of students at each school.

Page 122   M11.3/11.4

2. (c) (200, 13)   (d) positive   (e) 7 cm   (f) 193 − 195 cm

4. (b) negative   (d) 72

   (e) not within the range of given data and the average weekly score would be impossible

Page 124   M11.5

1. (b) 240

   (c) 250, 150, 145, 55, 105, 210, 340, 475

   (d) Sales fell after March and then rose quickly from September onwards.
   More card sales for Christmas, Valentine's Day and Easter.

2. (b) 105, 110, 105, 120, 135, 135, 125, 160, 160, 165, 135, 140, 125

   (c) Sales rose 2003 to 2011 (apart from 2008) and then fell a little.

3. (b) 130, 125, 125, 127, 127, 128, 130, 131, 132, 131, 130, 132, 137, 135, 137

   (d) number of visitors rose gradually.

Page 125   M11.6

1. (a) Yes

   (b) Not representative. The sample may not include people who need a car to go to the supermarket.

   (c) Yes

   (d) No. The sample only takes people who use the Gym.

   (e) Yes

   (f) Yes

2. (a) Random sample of people under 18 years old. Include people aged (say) 11 to 17.

   (b) Random sample of people in Scotland.

   (c) Random sample of pupils in the school.

   (d) Random sample of people in the city.

Page 125   M11.7

1. 31 males, 19 females

2. Ski 22, AUST 8/9, EU cities 25, Carib 14/15

4. Lab. 706, Con. 539, Lib. Dem. 428, Green 310, Other 17

5. 90

6. (b) F 14, G 7, S 4

Page 126   M12.1

1. (b) 6   (c) 2

2. (a) (6, 0)(0, 4)   (b) (7, 0)(0, 3)

   (c) (5, 0)(0,8)   (d) (6, 0)(0, −8)

Page 127   M12.2

1. (a) $x = 4, y = 2$ (b) $x = 6, y = 6$ (c) $x = 2, y = 4$
2. (d) $x = 3, y = 2$
3. (a) $x = 1, y = 3$ (b) $x = 2, y = 5$ (c) $x = 3, y = 1$

Page 127   M12.3

1. $x = 1, y = 2$ 2. $x = 3, y = 2$
3. $x = 2, y = 5$ 4. $x = 5, y = 1$
5. $x = 3, y = 4$ 6. $x = 0, y = 6$
7. $x = -1, y = 2$ 8. $x = 4, y = -3$
9. $x = -2, y = -1$ 10. $x = -5, y = 3$

Page 128   M12.4

1. $x = 3, y = 2$ 2. $a = 1, b = 4$
3. $m = 2, n = 6$ 4. $c = 5, d = 1$
5. $p = -1, q = 3$ 6. $a = 4, b = -2$
7. $m = 3, n = \frac{1}{2}$ 8. $x = -1, y = -2$
9. $x = -\frac{1}{2}, y = 3$ 10. $p = -2, q = 6$
11. $c = -4, d = -1$ 12. $x = \frac{1}{2}, y = \frac{1}{4}$

Page 128   M12.5

1. Socks £3, Pants £8   2. 7, 12
3. battery £5, solar £6   4. Child £13, Adult £25
5. 45 cm   6. $m = 3, c = 5$
7. Hardback £5·95, Paperback £3·95
8. 110°
9. 36 senior, 12 normal
10. Anna 6, Charlie 18

Page 129   M12.6

1. $2\frac{1}{2}, 1\frac{1}{4}$; divide by 2   2. 1·7, 0·9; subtract 0·8
3. $3\frac{1}{2}, 4\frac{1}{4}$; add $\frac{3}{4}$ 4. 324, 972; multiply by 3
5. 0·3, 0·03; divide by 10   6. $-16, -32$; multiply by 2
7. 290
8. 26, 37   9. 24, 35
10. 30, 42   11. 38, 52
12. 1024
13. (a) 31, 50   (b) 124, 215   (c) 256, 1024   (d) 24, 44

14. 31, 63
15. A → c), B → b), C → f), D → e), E → d), F → a),

Page 130   M12.7

1. (a) -4 (b) $\frac{1}{3}$ (c) 0·2   (d) $-\frac{1}{2}$
2. $-\frac{1}{3}$ 3. 7
4. 7   5. 4
6. 144   7. 3, 12, 48, 192
9. 1·05
10. $m + 2n, 2m + 3n, 3m + 5n, 5m + 8n$
11. 29 878   12. $\frac{1}{9}$

Page 131   M12.8

1. A → R, B → Q, C → S, D → P
2. (a) $3n + 4$ (b) $7n + 2$ (c) $9n - 8$ (d) $8n - 2$
   (a) $34 - 4n$ (b) $23 - 5n$ (c) $4n + 4$ (d) $25 - 3n$
3. (a) No   (b) $5n + 9$
4. (b)

Shape number	1	2	3	4
Number of sticks	8	15	22	29

(a) $s = 7n + 1$ (d) 281
5. (b)

Shape number	1	2	3	4
Number of sticks	10	18	26	34

(a) $s = 8n + 2$ (d) 322
6. (a) $(20n + 80)$ pence   (b) 2·40
   (c) 21st   (d) 99 pence
7. a, b are geometric and c is arithmetic
8. (a) $37 - 2n$ (b) 18

Page 133   E12.1

1. (a) 5, 7, 5, 7   (b) 2, 16, 1024, 4194304
   (c) 3, 12, 3, 12   (d) 1, 3, 39, 7527
2. $t_3 = 5, t_4 = 6, t_5 = 7$
3. $u_n = 3n + 7$
4. (a) $y_n = 5n + 4$ (b) 194
5. (a) 6, 21, 46, 81   (b) 3, 9, 15, 21   (c) 5, 15, 45, 135
6. e.g. 24,192
7. (a) $3n - 1$ (c) 2^{n-1} (c) $0·2n + 1$
8. 29 $(n = 8)$
9. Incorrect. Should be $2n^2 + n - 1$
10. 5

Page 133   E12.2

1. (a) 0   (b) 12   (c) 90

2. (a) $n^2 + 4$ (b) $n^2 - 2$ (c) $n^2 - n$ (d) $n^2 + 5n$

3. (a) $s = n^2 + 3n + 2$ (b) 702

4. (a) **i** $3n^2$ **ii** 1200   (b) **i** $2n^2 + 3$ **ii** 803

     (c) **i** $2n^2 + 5n$ **ii** 900   (d) **i** $3n^2 + 4n - 2$ **ii** 1278

5. (a) $n^2 - 4n$ (b) 14

Page 134   E12.3

1. (a) $7\sqrt{5}$, 35, $35\sqrt{5}$, 175

     (b) geometric progression with ratio $\sqrt{5}$

2. 6, $6\sqrt{2}$, 12, $12\sqrt{2}$, 24

3. (a) 4, 10, 18   (b) 1, $\dfrac{3}{4}$, $\dfrac{2}{3}$ (c) $7\sqrt{3}$, 21, $21\sqrt{3}$

4. $u_{n+1} = (\sqrt{3})u_n$ and $u_1 = 2$

5. $u_n = 4(\sqrt{7})^{n-1}$

6. (a) quadratic   (b) geometric   (c) geometric   (d) linear

7. (a) $\dfrac{n+1}{(n+2)^2}$ (b) $2n^2 - 3n$ (c) $(n+1)(n+2)$

     (d) 5^{n-1} (e) $\dfrac{n(n+2)^3}{n+1}$ (f) $5(\sqrt{6})^{n-1}$

8. (a) $(\sqrt{2})\pi^8$ and $(\sqrt{2})\pi^9$

     (b) $u_n = (\sqrt{2})\pi^{n-1}$

     (c) geometric progression with ratio π

Page 135   E12.4

1. $(x+3)^2 + 4$; $a = 3$, $b = 4$

2. $(x-5)^2 - 7$; $c = -5$, $d = -7$

3. (a) $(x+8)^2 - 34$ (b) $(x-2)^2 - 3$

     (c) $\left(x - \dfrac{3}{2}\right)^2 - \dfrac{1}{4}$

4. $x = 4 \pm \sqrt{13}$

5. (a) $x = -3 \pm \sqrt{5}$ (b) $6 \pm \sqrt{15}$

     (c) $10 \pm \sqrt{10}$ (d) $-\dfrac{5}{2} \pm \dfrac{\sqrt{17}}{2}$

6. $a = 3$, $b = 3$, $c = 5$

7. $p = 4$, $q = 2$, $r = 7$

8. $a = 5$, $b = 3$, $c = -52$

9. $p = 2$, $q = \dfrac{5}{4}$, $r = -\dfrac{17}{8}$

10. $-2\cdot27$ or $-5\cdot73$

Page 136   E12.5

1. (a) $(-4, 3)$ (b) $(6, -2)$ (c) $\left(\dfrac{1}{3}, 4\right)$ (d) $\left(-\dfrac{5}{4}, -1\right)$

2. $(-5, -6)$ **3.** $(4, -3)$

4. $x = -1$ **5.** $y = 3$

6. $x = \dfrac{1}{2}$ **7.** $\dfrac{7}{8}$

8. $y = x^2 + 4x + 11$

9. (a) $y = 3(x+4)^2 + 5 > 0$

     (b) curve always above x-axis

10. maximum $= 3$ when $x = -3$

Page 137   E12.6

1. $-0\cdot469$ or $-8\cdot53$ **2.** $0\cdot236$ or $-4\cdot24$

3. $6\cdot32$ or $-0\cdot317$ **4.** $-0\cdot394$ or $-7\cdot61$

5. $1\cdot27$ or $-2\cdot77$ **6.** $-0\cdot119$ or $-1\cdot68$

7. $1\cdot65$ or $-0\cdot151$ **8.** $0\cdot269$ or $-0\cdot825$

9. $1\cdot77$ or $0\cdot566$ **10.** $\dfrac{-5 \pm \sqrt{13}}{2}$

11. $\dfrac{2 \pm \sqrt{84}}{10} = \dfrac{1 \pm \sqrt{21}}{5}$ **12.** $\dfrac{-7 \pm \sqrt{5}}{2}$

Page 137   E12.7

1. (a) length $= x + 2$, area $= x(x+2)$ (c) $1\cdot45$

2. (b) 14×48

3. (a) $2h + 3$ (b) $h(2h+3) = 152$ (c) 8 cm

4. (a) $25 - w$ (b) $w(25-w) = 154$ (c) 11 m or 14 m

5. (a) $2x - 3$ (b) $x(2x-3) = 35$ (c) 5

6. $5\cdot91$ cm

Page 138   E12.8

1. $x = 1\ y = 5$, $x = 2\ y = 8$

2. $x = 6$, $y = 4$

3. $x = -15\ y = 35$, $x = 3\ y = -1$

4. $x = 3\ y = 4$, $x = -2\ y = -6$

5. (a) M(1, 4) and N(2, 1)   (b) $\sqrt{10}$

6. $(1\cdot39, 1\cdot77)$, $(-0\cdot49, -1\cdot97)$

Page 139   E12.9

1. (a) 8   (b) $\sqrt{18} = 3\sqrt{2}$ (c) $\sqrt{50} = 5\sqrt{2}$

2. (a) $x^2 + y^2 = 81$

     (b) $x^2 + y^2 = 45$

     (c) $x^2 + y^2 = 32$

3. (2, 4) and $\left(\dfrac{4}{13}, -\dfrac{58}{13}\right)$

4. $\sqrt{128} = 8\sqrt{2}$

5. $\sqrt{29} < 6$ so lies inside circle

6. $(-4, -3)$ and $(3, 4)$

Page 140   E12.10

1. $y = -x + 6$

2. $y = -2x - 10$

3. $mx + ny = m^2 + n^2$

4. $5x - 2y = 29$

5. $y = \dfrac{1}{2}x$

6. $\sqrt{170}$

7. $(5, 3)$

8. $(8, -1)$

Page 141   E12.11

1. (b) $\approx 7\cdot2$ (c) $\approx 2\cdot3$ (d) $\approx 5\cdot7$

2. (a) 2000   (c) 1717   (d) 7·3 yrs
   (e) ≈ 51

3. (a) 4   (b) 3   (c) 108

4. (a) -3 (b) 2   (c) $-1\cdot75$

5. (a) $A = 500 \,(1\cdot04)^t$ (b) £865·84

Page 142   M12.9

1. (a) $-4\cdot8$ or $-0\cdot2$ (b) 0·8 or $-3\cdot8$
   (c) 0·8 or $-3\cdot8$ (d) $-0\cdot5$ or $-4\cdot6$

2. (a) $-0\cdot6$ or 3·6   (b) $-0\cdot8$ or 3·8
   (c) 2·6 or 0·4   (d) 2·6 or $-1\cdot6$

3. (i) 2·4 or $-0\cdot4$ (ii) 3·2 or $-1\cdot2$
   (iii) 3·3 or $-0\cdot3$ (iv) 3·3 or $-0\cdot3$

4. (a) $y = 3x + 1$ (b) $y = x$ (c) $y = 2 - x$

Page 143   M13.1

1. 84 cm²   **2.** 180 cm²   **3.** 72 cm²

4. 12 cm   **5.** 460 cm²   **6.** 13·7 cm²

7. (a) 226·2 cm²   (b) 22·9 cm²   (c) 1289·1 cm²

8. (a) 103·7 cm²   (b) 84·1 cm²   (c) 50·4 cm²

9. 102·5 m²   **10.** 4·7 cm

11. 22·4 cm   **12.** 84·3 cm²

Page 145   E13.1

1. 72·5 cm²   **2.** 88·4 cm²   **3.** 39·9 cm²

4. 32°   **5.** 16·8 cm   **6.** 62°

7. 21·7 cm   **8.** 9·2 cm   **9.** 68·6 cm²

Page 146   M13.2

1. 4·8 cm   **2.** 17·0 cm   **3.** 43°

4. $8 + \dfrac{2}{3}\pi$ **5.** $4\pi + 36$ **6.** $\dfrac{10}{3}\pi + 14$

7. 20·6 cm   **8.** 42·6 cm

Page 148   M13.3/13.4

1. 47·1 cm²   **2.** 51·5 cm²   **3.** 34·7 cm²

5. $40 - \dfrac{32\pi}{9}$ cm²   **6.** 17·9°   **7.** 4·1 cm²

8. 24·9 cm²   **10.** 62·7 cm²

Page 149   M13.5/13.6

1. (a) 360 m³   (b) 800 cm³

2. 7·2 m³

3. False

4. 5 m

5. (a) 4 000 000   (b) 2 900 000   (c) 80 000
   (d) 74 800   (e) 6   (f) 6000
   (g) 600   (h) 5160   (i) 3·8

6 (a) 90π cm³   (b) 144π cm³

7. 7·5   **9.** 10   **10.** 8·2 cm

11. 32·0 cm   **12.** 5·4 g

Page 152   M13.7

1. (a) 1940 cm³   (b) 28 m³   (c) 65·4 m³

2. The cone

3. 2·67 cm

4. (a) 1488π cm³   (b) 2511π cm³

5 2 mins 7 secs

6. 8·2 cm

7. 27·8 cm

Page 153   M13.8

1. (a) 239 cm²   (b) 1020 cm²   (c) 1010 cm²

2. 90π cm²   **3.** 12·4 cm

4. 108π

6. (b) 4 cm

5 1280 cm^2

7. 396·4 cm^2

Page 154   M13.9

1. (b) 16 cm

2. 10·5 cm

3. $y = 12·5$ m, $z = 11$ cm

4. 25 cm

5 (b) 3 cm

6. (a) 10 cm   (b) 5 cm

Page 156   M13.10

1. 2·5 cm

3. 18 cm

5. 7 cm

7. $x = 5$ cm, $y = 7$ cm

9. $x = 8$cm, $y = 15$ cm

2. 9 cm

4. AB = 8 cm, AE = 4 cm

6. (b)   10 cm

8. 5

Page 157   E13.1

1. 4000 cm^3

3. 3·5 cm

5. 2 cm

6 (a) £1·46   (b) 39·6 cm

7. 2·681

2. 931 cm^2

4. £7·68

8. £3·28

Page 158   E13.2

1. (a) 1:36   (b) 1:6   (c) 1:216   (d) 10152 cm^3

2. (a) 1:64   (b) 1:4   (c) 1:16   (d) 57 cm^2

3. 22·4 m^2

4. 384 cm^2

5. 5040 cm^3

6. 21·0 mm^3

7. 6·1 cm

8. £171·26

Page 160   M14.1

1. (a)(i) 8   (ii) 9   (iii) 10   (iv) 14
    (b)(i) 9   (ii) 8   (iii) 4 or 8   (iv) 12

2. 25

3. (a) 48   (b) 40   (c) could be either

4. (a) 9   (b) 9·1   (c) mode

5. 1, 4, 7, 9, 14

6. 222

7. (a) 693 kg   (b) 61 kg

8. £27 200

9. £4·78

10. £415

11. $n^2 + 2$

Page 161   M14.2

1. (a) 5   (b) 4

2. (a) 3   (b) 4   (c) Girls

3. (a) 6 to 8   (b) 2 to 5   (c) 45

4. (a) Chetley Park School $2 - 5$, Wetton School $6 - 9$
    (b) Wetton School, higher median

Page 162   M14.3

1. (a) 82   (b) 2·05

2. (a) 180   (b) 1·7

3. (a) A 3·4 B 4·3   (b) Area B

4. 12

Page 163   M14.4

1. (a) 415   (b) 5

2. (a) Batton City   (b) 43·8   (c) 4

3. $n = 6$

Page 164   E14.1

1. (a) 10   (b) 7   (c) 14   (d) 7

2. (a) 0·8   (b) 0·5   (c) 0·9   (d) 0·4

3. (a) $\frac{1}{2}$ (b) $\frac{1}{4}$ (c) $\frac{3}{4}$ (d) $\frac{1}{2}$

4. (a) Carl £23, Bron £17   (b) Carl £20, Bron £13
    (c) Carl bought more expensive clothes and Bron's clothes
        were less spread out in value.

Page 165   E14.2

1. (a) 12, 43, 102, 147, 174, 192, 200
    (c) (i) 29·5   (ii) about 19 to 20
    (d) about 22 %

2. (a) 61 kg   (b) 56 kg   (c) 74 kg
    (d) 18 kg   (e) 10   (f) 35·7 %

3. (a) 34, 61, 106, 137, 152, 160, 167, 172
    (c) (i) £1260   (ii) £1200
    (d) about 12 %

Page 166   E14.3

1. (a) 32   (b) 38   (c) 29   (d) 38   (e) 9

3. Girls: median 13·7, range 3·3, IQR 1·8
   Boys: median 13·5, range 2·9, IQR 1·2,
   Girls' times were a little higher and more spread.

4. Men: median 18, range 52, IQR 14
   Women: median 19, range 51, IQR 15
   Women spent slightly longer and the spread of times was
   about the same for both.

5. 11X: median 1·8 h, IQR 0·8 h
   11Y: median 2·2 h, IQR 1·7 h
   11X had a lower median and their times were less spread
   out than for 11Y.

Page 167   E14.4

1. (a) $(10 - 15)$ 5, $(15 - 25)$ 7, $(25 - 30)$ 12, $(30 - 40)$ 8,
   $(40 - 60)$ 5, $(60 - 90)$ 2

2. (a) A is an integer   (b) $32 \div 10$

3. (a) Data is continuous   (b) $27 \div 6$

Page 168   E14.5

1. (a) $(0 - 2)$ 13, $(2 - 3)$ 7, $(3 - 5)$ 18, $(5 - 8)$ 12, $(8 - 12)$ 10
   (b) 60

2. (a) $(10 - 15)$ 14, $(15 - 30)$ 66, $(30 - 40)$ 49,
   $(40 - 60)$ 42, $(60 - 80)$ 16

3. (a) $(0 - 6)$ 18, $(6 - 10)$ 16, $(10 - 15)$ 31, $(15 - 30)$ 144,
   $(30 - 42)$ 72, $(42 - 60)$ 18
   (b) 299   (c) 16·1%

4. (a) $(15 - 20)$ 135, $(40 - 70)$ 225
   (c) 8·1%   (d) £30 392

Page 170   E14.6

1. (b) 10P : median 27, IQR 26
   10Q : median 14, IQR 19
   Children in 10P received more emails than those in 10Q
   and the spread of the numbers was higher than for 10Q.

2. Tampton Trojans are slightly taller and there is a smaller
   spread of heights for their players.
   (Mallow Town: median 174, range 36
   Tampton Trojans: median 175, range 33)

3. (a) 19 (to the nearest whole number)
   (b) The 8 year-olds recieved a lot more presents than the
   18 year-olds.
   (mean for the 18 year-olds is 11)

4. Women in the country A were significantly older when
   they gave birth to their first child.

Page 171   M16.1

1. (a) $x > 6$ (b) $2 \leqslant x \leqslant 6$ (c) $-2 < x \leqslant 3$

2. (a) 4, 5, 6, 7   (b) 1, 2, 3, 4, 5   (c) $-4, -3, -2$
   (d) $-5, -4, -3, -2, -1, 0$

3. (a) $x > 5$ (b) $x < 6$ (c) $x > 7$
   (d) $x > -10$ (e) $x \geqslant 6$ (f) $x \leqslant 24$

4. (a) $x < 3$

   (b) $3 \leqslant x \leqslant 5$

   (c) $-2 \leqslant x < 1$

5. (a) 3, 4   (b) 2, 3, 4, 5

6. (a) 2   (b) 8   (c) 1

7. (a) $x < -1$

   (b) $x \leqslant -4$

   (c) $4 \leqslant x \leqslant 14$

Page 172   E16.1

1. (a)   (b)

   (c)   (d)

2. (a) $\{x: -6 \leqslant x \leqslant -3\}$ (b) $\{x: x \geqslant 2\}$
   (c) $\{x: -1 \leqslant x \leqslant 5\}$

3. $\{x: x \leqslant 3\}$

4. (a) $\{x: 5 < x < 15\}$ (b) $\{x: -12 \leqslant x \leqslant 8\}$
   (c) $\{x: 4 \leqslant x \leqslant 9\}$ (d) $\{x: 2 \leqslant x < 5\}$
   (e) $\{x: -7 < x < 5\}$ (f) $\{x: -3 < x \leqslant 1\}$
   (g) $\{x: \frac{3}{4} \leqslant x \leqslant 1\}$ (h) $\{x: 0 < x < \frac{3}{11}\}$

5. $\{x: x < -3 \text{ or } x > 3\}$

Page 173   E16.2

1. (a) $y > 3$ (b) $y \leqslant x + 2$
   (c) $-2 \leqslant x < 1$ (d) $y > 2 - 2x$

2. (a) $y > 4 - x, x \leqslant 3, y \leqslant 3$
   (b) $3y \geqslant x + 3, y < x + 1, x + y \leqslant 5$

5. $x + y \geqslant 2, y \leqslant 2x - 1, x < 2$

7. 26

Page 174   E16.3

1. (a) $-4 < x < 2$

2. (a) $(x - 1)(x - 3)$ (c) $x \leqslant 1$ or $x \geqslant 3$

3. $x < -4$ or $x > 4$

4. $-1 < x < 1$

5. (a) $-2 \leqslant z \leqslant 2$ (b) $x \leqslant -2$ or $x \geqslant 7$

   (c) $1 < x < 5$ (d) $-6 \leqslant y \leqslant 2$

   (e) $m < 2$ or $m > 4$ (f) $-3 \leqslant x \leqslant 3$

6. $y \leqslant -3$ or $y \geqslant 3$

7. $1 \leqslant x \leqslant 5$

8. $x < -\dfrac{5}{2}$ or $x > \dfrac{2}{3}$

9. (a) $1 \pm \sqrt{3}$ (b) $1 - \sqrt{3} \leqslant x \leqslant 1 + \sqrt{3}$

Page 175   E16.4

1. (a) T   (b) F   (c) F   (d) F   (e) T   (f) F

2. (a) $\dfrac{a}{2b}$ (b) $\dfrac{x}{y}$ (c) $\dfrac{3n}{4m}$ (d) $\dfrac{a + b}{ab}$

   (e) $3x - 2y$ (f) $\dfrac{b + c}{d}$ (g) $\dfrac{1}{2}$ (h) $\dfrac{m}{2 - 5n}$

3. (a) $x - 3$ (b) $\dfrac{5b}{3}$ (c) 4 (d) $\dfrac{3(a - 3b)}{(a + 3b)}$

   (e) $\dfrac{x + 1}{x}$ (f) $\dfrac{x + 4}{2x}$ (g) $\dfrac{n}{n + 3}$ (h) $\dfrac{a - 1}{a - 4}$

   (i) $\dfrac{n + 3}{n - 2}$ (j) $\dfrac{a - 3}{a}$ (k) $\dfrac{w + 1}{2w - 1}$ (l) $\dfrac{2x + 1}{x + 3}$

Page 175   E16.5

1. 4 **2.** 1 **3.** $\dfrac{2a}{3}$ **4.** $\dfrac{8x + 3}{12}$

5. $\dfrac{5m}{6}$ **6.** $\dfrac{y}{12}$ **8.** $\dfrac{x}{5}$ **9.** $\dfrac{a + 6}{a}$

10. $\dfrac{n}{n + 1}$ **11.** $\dfrac{3a}{a + 1}$ **12.** $\dfrac{m - 3}{m}$ **13.** $\dfrac{x + 5}{x + 1}$

14. $\dfrac{b - 4}{b + 3}$ **15.** $\dfrac{7}{3}$ **16.** $\dfrac{x - 4}{x - 3}$

Page 176   E16.6

1. $\dfrac{7a}{12}$ **2.** $\dfrac{9m - 8n}{12}$

3. $\dfrac{x^2 + 2y^2}{xy}$ **4.** $\dfrac{12n + 10m}{15mn}$

5. $\dfrac{14b - 3a}{21ab}$ **6.** $\dfrac{7n + 23}{10}$

7. $\dfrac{a + 24}{12}$ **8.** $\dfrac{19x - 12}{24}$

9. $\dfrac{8x + 26}{x^2 + 6x + 8}$ **10.** $\dfrac{9n + 31}{n^2 + 8n + 15}$

11. $\dfrac{y + 2}{y^2 + 11x + 30}$ **12.** $\dfrac{5m - 35}{m^2 - 3m - 4}$

13. $\dfrac{14a - 7}{8a^2 + 10a - 3}$ **14.** $\dfrac{5}{a - b}$

15. $\dfrac{4x + 15}{(x + 2)(x + 3)}$ **16.** $\dfrac{6n - 10}{n^2 + 3n - 10}$

17. $\dfrac{3w - 3}{w^2 + 3w - 4}$ **18.** $\dfrac{8m + 35}{m^2 - 16}$

19. $\dfrac{3y + 9}{(y + 3)(y - 3)(y + 6)}$ **20.** $\dfrac{9x + 17}{(x + 3)(x + 4)(x + 1)}$

21. $\dfrac{n^2 + 47n + 146}{(n^2 - 9)(n + 5)}$ **22.** $\dfrac{24}{16 - x}$

23. Incorrect. Cannot cancel the 2 and 4 in the first line.

Page 177   E16.7

1. (a) $x = 3$ (b) $m = -1$ or 15 (c) $n = 20$

4. (a) $x = 4 \cdot 16$ or $-2 \cdot 16$ (b) 2 or $-\dfrac{4}{3}$

   (c) $2 \cdot 63$ or $-2 \cdot 41$ (d) $4 \cdot 84$ or $-1 \cdot 34$

5. (b) 25 m/s

6. $\dfrac{12}{x + 2} + \dfrac{10}{2x - 3} = 4, x = 4$

7. $(1, -1), (9, 3)$

Page 179   M17.1

1. 8 cm   **2.** 2 km

3. 7 cm $\rightarrow 4 \cdot 2$ m, 5 cm $\rightarrow 100$ m, 8 cm $\rightarrow 4$ km,

   3 cm $\rightarrow 3$ km, 8 cm $\rightarrow 320$ m, 2.5 cm $\rightarrow 125$ km

4. 5 cm   **5.** 12 m

6. (a) $17 \cdot 57$ km^2 (b) $73°$

7. 450 hectares   **8.** $14 \cdot 0625$ cm^2

Page 180   M17.2

5. (a) $x = 38°, y = 6 \cdot 7$ cm,   (b) $x = 81°, y = 60°$

6. (d) QS $= 5$ cm

Page 181   M17.3

5. (a) AB $= 10 \cdot 4$ cm

6. $x = 5 \cdot 9$ cm

8. AD $= 7 \cdot 6$ cm

Page 185   E17.1

1. (a) F   (b) T   (c) F   (d) T
2. A(0, 1), B(90°, 0), C(270°, 0), D(180°, −1)
4. −1   5. 1
6. Every 360°   7. 4

Page 186   E17.2

1. 127°   2. 140°
3. (a) 321°   (b) 313°
   (c) 189°   (d) 252°
4. (b) −cos 20°   (c) sin 7°
   (d) cos 14°   (e) −sin 66°
   (f) −sin 39°   (g) tan 67°
   (h) −cos 18°
5. (a) 46°, 314°   (b) 10°, 170°
   (c) 248°, 292°   (d) 33°, 327°
   (e) 128°, 232°   (f) 207°, 333°
6. 79°, 282°   7. 240°, 300°
8. 210°, 330°, −30°   9. 120°, 240°

Page 186   E17.3

3. (a) (−2, −1) (b) (2, 1)   (c) (3, −1)   (d) (−2, −1)
5. $g(x) = -f(x)$

Page 187   E17.4

4. (a) (−2, 8)   (b) (−2, 5)   (c) (2, −8)   (d) (2, −2)
5. $y = 3 - \cos x$
6. (a) −3, 0, 4   (b) −1, 2, 6   (c) −4, 0, 3   (d) −7, −4, 0
7. (b) −2·5, 0·5   (c) −2·5, 0·5
8. Translation $\begin{pmatrix} -1 \\ 0 \end{pmatrix}$
9. (b) 0°, 180°, 360°
10. (a) (−1, −4) (b) (1, −1)   (c) (−1, 6)   (d) (0, 1)

Page 189   M18.1

2. 6
5. (a) 4   (b) 6

Page 191   M18.2

1. A 035°, B 105°, C 220°, D 340°
2. 24·1 km

Page 192   ...

3. (a) 065°   (b) 130°   (c) 165°
   (d) 310°   (e) 245°   (f) 345°
4. (a) 329·6°
5. 212°
6. (a) 6·88 km   (b) 210·2°
7. (a) 323°   (b) 216·9°

Page 192   M18.3

1. 7·0°   2. 1327·5 m
3. 22·5°   4. 306·3 m
5. 27 m   6. 42·6 m
7. 202 m   8. 1·04 tonnes

Page 193   M18.4

1. (a) B(0, 4, 0), C(9, 4, 0), D(9, 4, 5), E(0, 0, 5), F(9, 0, 0),
   G(9, 0, 5)
   (b) (0,4, 2·5)   (c) 202 square units
2. (a) O(0, 0, 0), P(2, 0, 0), Q(2, 0, 2), R(0, 0, 2), S(0, 2, 2),
   T(0, 2, 0), U(2, 2, 0), V(2, 2, 2)
   (b) 2·83   (c) (1, 1, 1)
3. (a) O(0, 0, 0), A(7, 0, 0), B(7, 0, 5), C(0, 0, 5), D(0, 8, $2\frac{1}{2}$),
   E(7, 8, $2\frac{1}{2}$)
   (b) ($3\frac{1}{2}$, 0, $2\frac{1}{2}$)   (c) 192·3 square units
4. O(0, 0, 0), P(10, 0, 0), Q(10, 0, 6), R(0, 0, 6), V(5, −13, 3),

Page 195   E18.1

1. a 8·09 cm
2. b 16·9 cm
3. c 49·9°
4. d 6·99 cm
5. e 7·97, (f) 6·77
6. g 16·0°, h 20·8 cm
7. 17·1 cm
8. 20·3 km
9. 20·5 cm²

Page 196   E18.2

1. 14·2 cm
2. 17·1 cm
3. 35·5°
4. 40·3°